LA MALÉDICTION DE L'ÉPOUVANTEUR

Traduit de l'anglais par Marie-Hélène Delval

JOSEPH DELANEY

bayard jeunesse

À Marie

Le point le plus élevé du Comté
est marqué par un mystère.
On dit qu'un homme a trouvé la mort à cet endroit,
au cours d'une violente tempête,
alors qu'il tentait d'entraver une créature maléfique
menaçant la Terre entière.
Vint alors un nouvel âge de glace.
Quand il s'acheva, tout avait changé,
même la forme des collines
et le nom des villes dans les vallées.
À présent, sur ce plus haut sommet des collines,
il ne reste aucune trace de ce qui y fut accompli,
il y a si longtemps.
Mais on en garde la mémoire.
On l'appelle *la pierre des Ward.*

1

L'Éventreur de Horshaw

Lorsque les cris s'élevèrent, je me détournai et pressai les mains contre mes oreilles à m'en briser les tempes. Dans l'immédiat, il n'y avait rien que je puisse faire. Mais cet appel au secours d'un homme torturé retentit longtemps, avant de s'éteindre, au loin.

Je restai donc dans l'obscurité de la grange, parcouru de frissons, à écouter la pluie tambouriner sur le toit en m'efforçant de reprendre courage. C'était une sale nuit, et le pire restait à venir.

Dix minutes plus tard, le terrassier et son aide se présentèrent, et je me précipitai à la porte pour les accueillir. Je leur arrivais à peine à l'épaule tant ils étaient grands.

– Eh bien, mon gars ! Où est M. Gregory ? demanda le patron, une note d'impatience dans la voix.

Il leva sa lanterne et promena autour de lui un regard inquisiteur. Ni lui ni son compagnon ne paraissaient du genre à s'en laisser conter.

– Il est bien malade, dis-je, tâchant de dominer la nervosité qui me faisait chevroter. Une mauvaise fièvre le cloue au lit depuis une semaine ; il m'a envoyé à sa place. Je suis Tom Ward, son apprenti.

L'homme me jaugea d'un regard, levant si haut les sourcils qu'ils disparurent sous la visière de sa casquette dégoulinante.

– Eh bien, monsieur Ward, reprit-il, non sans un brin de sarcasme, nous attendons vos instructions !

Je tirai de ma poche le plan dessiné par le maçon. Le terrassier s'en empara, déposa sa lanterne sur le sol de terre battue, puis, après avoir jeté un coup d'œil à son aide, hocha la tête d'un air entendu et s'agenouilla pour étudier le papier à la lumière. Le maçon y avait inscrit les dimensions de la fosse à creuser, ainsi que les mesures de la dalle de pierre qu'il faudrait mettre en place.

Au bout d'un moment, le terrassier hocha de nouveau la tête et se remit debout. Un pli soucieux lui barrait le front :

– La fosse devrait avoir neuf pieds de profondeur. Ce plan en indique seulement six.

Il connaissait son travail. Lorsqu'il s'agit d'un gobelin ordinaire, six pieds suffisent ; mais, pour un éventreur, l'espèce la plus dangereuse, la norme est de neuf pieds. Malheureusement, le temps manquait pour creuser aussi profond.

– Ça ira, dis-je. Mais tout doit être prêt au matin, sinon, il sera trop tard, le prêtre sera mort.

Jusqu'alors, j'avais eu devant moi deux costauds chaussés de grosses bottes et emplis d'assurance. Ils semblaient soudain nerveux.

Je leur avais envoyé un billet leur expliquant la situation et leur donnant rendez-vous à la grange. Je l'avais signé du nom de l'Épouvanteur, pour être sûr qu'ils se déplaceraient.

– Tu sais t'y prendre, petit ? demanda le patron. Tu as déjà fait ce genre de boulot ?

Je le fixai dans les yeux en m'efforçant de ne pas ciller :

– Ma foi, j'ai embauché les deux meilleurs terrassiers du Comté, c'est un bon début.

J'avais prononcé les mots qu'il fallait. Il eut un large sourire :

– Quand la pierre arrive-t-elle ?

– Avant l'aube. Le maçon l'apportera lui-même.

Le terrassier acquiesça d'un signe :

– Alors, on vous suit, monsieur Ward. Montrez-nous où il faut creuser !

Cette fois, nulle raillerie dans sa voix ; le ton était purement pratique. Il avait hâte de se mettre au travail et d'en avoir fini. C'était ce qu'on voulait tous les trois, et on n'avait pas beaucoup de temps. Je tirai donc mon capuchon sur ma tête et, le bâton de l'Épouvanteur dans la main gauche, les entraînai sous le crachin glacial.

Une charrette à deux roues, qui les attendait dehors, contenait leur matériel recouvert d'une bâche imperméable. Le cheval patientait entre les brancards, ses flancs fumant sous la pluie.

Nous coupâmes par le champ boueux, puis longeâmes la haie d'épineux jusqu'à l'endroit où elle s'éclaircissait, sous un très vieux chêne, à la lisière du cimetière. La fosse ne devait être ni trop loin, ni trop près d'une terre bénie. Les premières tombes n'étaient qu'à vingt pas.

— Voilà le meilleur emplacement, dis-je en désignant le pied de l'arbre.

Attentivement surveillé par l'Épouvanteur, je m'étais exercé à creuser des quantités de fosses. En cas d'urgence, j'aurais pu faire le travail moi-même ; mais ces hommes étaient des spécialistes, ils seraient plus efficaces que moi.

Pendant qu'ils retournaient chercher leurs outils, je me frayai un passage à travers la haie et louvoyai entre les tombes jusqu'à la vieille église. Elle était en fort mauvais état : des tuiles manquaient sur le toit, et les murs n'avaient pas vu un pinceau depuis des années.

Je poussai une petite porte donnant sur le bas-côté. Elle s'ouvrit avec un grincement de protestation.

Le vieux prêtre était étendu sur le dos, devant l'autel. Une femme le veillait en pleurant, agenouillée près de sa tête. L'église était inondée de lumière. La femme avait dû dévaliser la réserve de cierges de la sacristie et en avait allumé au moins une centaine, qu'elle avait fixés sur les bancs, le sol, le rebord des fenêtres, et surtout sur l'autel.

Comme je refermai la porte, un courant d'air fit vaciller les flammes. La femme se redressa, tournant vers moi un visage ravagé de larmes, et sa voix résonna sous les voûtes, pleine d'angoisse :

– Il est en train de mourir. Pourquoi as-tu été si long à venir ?

Il m'avait fallu deux jours pour arriver là, Horshaw étant à plus de dix lieues de Chipenden. Et je n'avais pu me mettre en route sitôt le message reçu : mon maître, trop malade pour quitter le lit, s'était d'abord opposé à mon départ.

D'ordinaire, l'Épouvanteur n'envoyait jamais ses apprentis travailler seuls tant qu'ils n'avaient pas suivi au moins une année de formation. Je venais d'avoir treize ans et n'étais en apprentissage que depuis six mois. Cette affaire difficile avait de quoi effrayer, car on y affronterait ce que nous appelions « l'obscur ». J'avais appris à me mesurer aux sorcières, spectres et autres créatures de la nuit. Mais étais-je prêt à *ça* ?

Il s'agissait d'entraver un gobelin, chose assez simple lorsqu'on s'y prend correctement. J'avais vu à deux reprises l'Épouvanteur à l'œuvre. Chaque fois, il avait embauché des gens de métier pour l'aider, et tout s'était passé en douceur. Ici, la situation était quelque peu différente. Il y avait des complications.

Ce prêtre, figurez-vous, était le père Gregory, le propre frère de l'Épouvanteur. Je ne l'avais aperçu qu'à une seule occasion, lors de notre bref séjour à Horshaw, au printemps précédent. Il avait dessiné de la main un grand signe de croix en nous voyant, le visage déformé par un rictus de colère. Mon maître l'avait à peine regardé, car ils n'éprouvaient plus d'affection l'un pour l'autre et ne s'étaient pas adressé la parole depuis quarante ans. Mais la famille reste la famille... C'est pourquoi, en définitive, il m'avait envoyé à Horshaw.

« Les prêtres ! avait-il craché avec rage. Pourquoi se mêlent-ils toujours de ce qui ne les concerne pas ? S'attaquer à un gobelin ! Qu'est-ce qu'il s'imaginait ? Qu'il me laisse donc faire mon travail ! »

Une fois calmé, il m'avait longuement donné ses instructions, sans omettre le moindre détail, puis m'avait fourni les adresses du maçon et du terrassier que je devrais embaucher. Il m'avait aussi indiqué un médecin, insistant sur le fait que lui seul serait compétent. C'était une difficulté de plus, car ce docteur habitait assez loin. Je lui avais envoyé un mot. Il me restait à espérer qu'il avait pu partir aussitôt.

Je regardai la femme qui épongeait le front du prêtre avec un linge, repoussant ses cheveux blancs, gras et ternes. Les yeux du vieil homme roulaient furieusement dans ses orbites. Il ignorait qu'elle avait envoyé chercher l'Épouvanteur. S'il l'avait su, il s'y serait opposé ; aussi était-ce une bonne chose qu'il n'ait pas encore remarqué ma présence.

Les cierges faisaient danser des étincelles de lumière dans les yeux de cette femme en larmes. Il s'agissait de sa gouvernante, elle n'était même pas de la famille, et je me souviens d'avoir pensé qu'il était sûrement très bon avec elle pour qu'elle se montre si bouleversée.

– Le docteur va arriver, lui dis-je. Il lui administrera une potion pour calmer la douleur.

– Il a souffert toute sa vie, me répondit-elle. Et je ne fais qu'ajouter à sa peine. Par ma faute, il a une peur terrible de la mort. Il est dans le péché, il sait ce qui l'attend.

Quelles que soient les fautes qu'il avait commises, le vieux prêtre ne méritait pas une telle épreuve.

Personne ne la mériterait. C'était certainement un homme courageux. Courageux ou stupide. Quand le gobelin s'était manifesté, il avait tenté de le combattre avec ses armes de prêtre : sonneries de cloches, saintes lectures et cierges. Ce n'est pas ainsi que l'on vient à bout de l'obscur ! Un gobelin ordinaire se serait contenté, dans la plupart des cas, d'ignorer le bonhomme et ses exorcismes. Il aurait peut-être fini par s'en aller, et, comme bien souvent, on aurait attribué cette réussite au prêtre.

Mais celui-là appartenait à l'espèce la plus redoutable, celle des « éventreurs de troupeaux », ainsi appelés parce qu'ils se nourrissent de sang frais. Or, avec ses conjurations, le prêtre avait attiré sur lui l'attention de la créature, et il serait bien chanceux s'il s'en sortait vivant. Quant à l'éventreur, il était au faîte de sa puissance et avait pris goût à la chair humaine.

Le dallage se fissura soudain, de l'autel jusqu'à l'homme étendu, s'ouvrant sur la largeur d'une main. Du fond du trou, le gobelin attrapa le pied du vieux prêtre et tira sa jambe dans le sol jusqu'au genou. À présent, tapi dans les ténèbres souterraines, il lui suçait le sang, aspirant lentement ses forces vitales telle une énorme sangsue, gardant sa victime en vie le plus longtemps possible pour prolonger son propre plaisir.

Quoi que j'entreprenne, l'existence du père Gregory ne tiendrait qu'à un fil. Mais il me fallait à tout prix entraver le gobelin. Maintenant qu'il avait bu du sang humain, celui du bétail ne le satisferait plus.

« Sauve mon frère si tu peux, m'avait dit l'Épouvanteur, alors que je m'apprêtais à partir. Assuretoi cependant avant tout que tu es venu à bout de la créature. C'est ton premier devoir. »

Je commençai mes préparatifs.

Je retournai à la grange avec le terrassier, laissant son aide creuser la fosse. L'homme savait ce qu'il avait à faire : puisant dans une citerne, il remplit d'eau, à mi-hauteur, un grand seau qu'il avait apporté, un récipient solide en bois, cerclé de métal. C'était l'un des avantages de travailler avec des gens d'expérience : ils fournissaient le matériel lourd.

Il alla ensuite prendre un gros sac dans sa charrette et versa dans l'eau son contenu, une poudre brune, par petites quantités, sans cesser de touiller avec un bâton.

Peu à peu, la mixture s'épaissit, devenant de plus en plus difficile à remuer, et puant pis qu'une charogne, ce qui n'était guère surprenant, vu que la poudre était essentiellement composée d'ossements broyés. On obtiendrait ainsi une colle très puissante. Mon maître fabriquait toujours la sienne, et il m'avait enseigné le procédé. Mais il y avait urgence, et le terrassier, même s'il suait et soufflait, avait les muscles qu'il fallait pour ce travail. Je n'avais même pas eu besoin de le lui demander.

Lorsque le mélange fut lisse, j'y ajoutai ma provision de limaille de fer et de sel, répartissant soigneusement les ingrédients. Le fer est redoutable pour les gobelins, parce qu'il leur ôte leurs forces ; quant au sel, il les brûle. Une fois dans sa fosse, le gobelin n'en sort plus, car les parois, ainsi que la face interne de la dalle qui la ferme, sont engluées de colle. La créature est obligée de se ratatiner dans le peu d'espace qui lui reste. Le problème, bien sûr, est d'obliger le gobelin à entrer dans la fosse... Cela, je m'en inquiéterais le moment venu.

Finalement, le terrassier et moi fûmes satisfait de notre ouvrage. La colle était prête.

En attendant que la fosse soit terminée, je guettai l'arrivée du médecin devant l'église, au bout de la rue pavée et tortueuse venant du centre de Horshaw.

Il avait cessé de pleuvoir ; l'air semblait immobile. Nous étions à la fin de septembre, et le temps n'allait pas en s'améliorant. Bientôt, les orages remplaceraient la pluie ; les roulements assourdis du tonnerre avaient le don de me rendre nerveux.

Au bout de vingt minutes, j'entendis au loin un claquement de sabots. Galopant comme s'il avait tous les chiens de l'enfer à ses trousses, le docteur surgit au tournant de la route, son manteau voltigeant derrière lui.

J'avais à la main le bâton de l'Épouvanteur, aussi n'eus-je pas besoin de me présenter. Après sa course folle, le brave homme était hors d'haleine. Je le saluai d'un signe de tête. Laissant sa monture écumante brouter l'herbe du talus, il me suivit jusqu'à la petite porte. Je la maintins ouverte et m'effaçai pour qu'il entre.

Mon père m'a appris à traiter les gens avec respect ; ainsi, ils vous respectent en retour. Je ne connaissais pas ce médecin, mais, l'Épouvanteur ayant insisté pour que je l'appelle, je supposais qu'il ferait du bon travail. Il s'appelait Sherdley. Sa grande sacoche de cuir paraissait aussi lourde que celle de mon maître, que j'avais emportée avec moi et mise dans la grange.

Sherdley posa son sac à six pieds de son patient et, sans s'occuper de la femme, toujours secouée de sanglots, il commença à l'examiner.

Je me plaçai derrière lui, un peu sur le côté, de façon à voir le mieux possible. Avec précaution, il souleva la soutane noire du prêtre pour découvrir ses jambes. La droite était maigre, blanche et presque dépourvue de poils. Mais la gauche, celle dont le gobelin s'était emparé, était rouge et enflée, bour-souflée de grosses veines violettes, qui se teintaient de noir là où le membre disparaissait dans la fente du sol.

Le médecin secoua la tête et relâcha très lente-ment son souffle. Puis il s'adressa à la femme, à voix si basse que j'eus du mal à entendre :

– Il va falloir la couper, c'est sa seule chance.

À ces mots, les pleurs de la malheureuse reprirent de plus belle. Le praticien me regarda et me fit signe de l'accompagner.

Quand nous fûmes dehors, il s'adossa au mur et soupira :

– Dans combien de temps serez-vous prêts ?

– Nous, dans moins d'une heure, docteur. Le reste dépend du maçon. C'est lui qui fournira la pierre.

– Si on attend davantage, il est perdu. Pour dire la vérité, il n'a guère de chances de s'en tirer. Je ne peux même pas lui administrer un anesthésiant, car son corps ne supporterait pas deux doses de suite, or il lui en faudra une au moment de l'amputation. De toute façon, le choc risque de le tuer. S'il tient le coup, il devra être transporté tout de suite après, ce qui n'arrangera pas son état.

Je haussai les épaules. Je ne voulais même pas y penser.

– Tu as l'habitude de ce travail ? me demanda le docteur en me dévisageant avec attention.

– M. Gregory m'a tout expliqué, dis-je en tâchant de prendre un ton assuré.

En vérité, il ne me l'avait pas expliqué une fois, mais des douzaines ! Et, à chaque fois, il avait exigé que je répète le processus, encore et encore, jusqu'à ce qu'il se déclare satisfait.

– Nous avons eu un cas semblable il y a quinze ans, reprit le médecin. Malgré tous nos efforts, l'homme est mort. C'était pourtant un jeune fermier, bâti comme un colosse. Croisons les doigts ! Les vieux sont parfois plus résistants qu'on imagine.

Il y eut un long silence, que je finis par briser en signalant un détail qui me tourmentait :

– Docteur, vous savez que j'aurai besoin d'un peu de son sang...

– On n'apprend pas à un grand-père à gober des œufs, grommela-t-il.

Avec un sourire fatigué, il désigna la rue pavée qui menait à Horshaw :

– Tiens, voilà le maçon. Va faire ton boulot et laisse-moi m'occuper du mien !

Je perçus en effet le roulement d'une charrette qui approchait. Je retraversai donc le cimetière pour voir où en étaient les terrassiers.

La fosse était prête, et ils avaient déjà assemblé la plate-forme de bois sous le chêne. L'aide, grimpé dans l'arbre, fixait le système de levage à une branche solide. C'était un appareil en fer, de la taille d'une tête, suspendu à des chaînes et muni d'un gros crochet. Il devrait supporter le poids de la pierre et permettre de la positionner avec la plus extrême précision.

– Le maçon est arrivé, leur annonçai-je.

Les deux hommes me suivirent aussitôt jusqu'à l'église.

Un autre cheval attendait au bord de la route, attelé à une charrette sur laquelle était couchée la pierre. Le maçon sauta à terre en évitant mon regard. Il ne semblait pas particulièrement heureux d'être là. Sans perdre de temps, nous conduisîmes l'attelage vers le champ, à l'arrière du cimetière.

Arrivé près du chêne, le maçon glissa le crochet dans l'anneau fixé au centre de la dalle pour la hisser hors de la charrette. Les dimensions étaient-elles justes ? On le saurait bientôt. En tout cas, le maçon avait placé correctement l'anneau, car la dalle pendait au bout de la chaîne dans un équilibre parfait.

On la mit en position, à deux pas du bord de la fosse. Le maçon m'apprit alors une mauvaise nouvelle : sa plus jeune fille était très malade, atteinte de cette même fièvre qui se répandait dans tout le Comté et retenait l'Épouvanteur au lit. Sa femme était au chevet de la fillette, et il repartirait sans tarder.

– Je suis désolé de ne pouvoir vous aider à mettre la dalle en place, dit-il, croisant mon regard pour la première fois. Mais vous n'aurez pas de problème, c'est une bonne pierre, je vous le garantis.

Je le crus. Il avait agi de son mieux et préparé la dalle au plus vite. Aussi le payai-je et le renvoyai-je avec les remerciements de l'Épouvanteur, les miens, et mes vœux de meilleure santé pour sa fille.

Les maçons ne savent pas que tailler les pierres, ils sont également experts pour les mettre en place. J'aurais préféré qu'il soit là, au cas où quelque chose clocherait. Cependant, les terrassiers étaient de bons ouvriers. Il me fallait juste garder mon calme pour ne pas commettre quelque erreur stupide.

Je devais d'abord enduire entièrement de colle les parois de la fosse ; puis la face interne de la pierre, avant qu'elle soit abaissée.

Je sautai donc au fond du trou et, armé d'une brosse, je me mis à la tâche à la lumière de la lanterne tenue par l'aide-terrassier. Je ne pouvais me permettre d'oublier la plus minuscule surface, car cela suffirait au gobelin pour s'échapper. Cette fosse ne mesurant que six pieds de profondeur au lieu de neuf, je devais me montrer d'autant plus scrupuleux.

La mixture imprégnait bien la terre, ce qui était une bonne chose : elle ne risquerait pas de se craqueler et de tomber par plaques lorsque le sol se dessécherait en été. Le plus difficile était de juger de la quantité à appliquer pour que la couche soit d'une épaisseur suffisante. Mon maître m'avait dit que le coup de main venait avec l'expérience. Jusqu'alors, il avait toujours été là pour superviser mon travail et ajouter la touche finale. Pour la première fois, je devais me débrouiller seul.

Mon ouvrage achevé, je m'extirpai de la fosse et examinai ses rebords. Une rainure de treize pouces – correspondant à l'épaisseur de la pierre – en faisait le tour, pour que la dalle s'y emboîte sans laisser le plus petit interstice par où le gobelin pourrait se glisser.

Je terminais mon inspection quand un éclair illumina le ciel. Quelques secondes plus tard, le tonnerre gronda. L'orage se dirigeait vers nous.

Je retournai à la grange pour y prendre un outil fort utile que l'Épouvanteur appelait « l'assiette-appât ». Il s'agissait d'un plat creux en métal, avec trois trous sur les bords, à égale distance les uns des autres. Je le sortis de mon sac ainsi qu'un rouleau de fines chaînes, que je fourrai dans ma poche. Puis je courus à l'église prévenir le docteur que j'étais prêt.

Dès que j'ouvris la porte, je fus saisi par une forte odeur de goudron. À gauche de l'autel brûlait un petit feu. Au-dessus, accroché à un trépied, le contenu d'un pot bouillonnait en crachotant. Le docteur Sherdley utiliserait le goudron pour stopper l'hémorragie. La plaie ainsi cautérisée, l'infection ne gagnerait pas le haut de la jambe.

Je souris en découvrant où le médecin avait trouvé du bois pour son feu. Dehors, tout était trempé. Il avait donc utilisé les seuls matériaux secs disponibles : il avait taillé un banc en pièces. Le père Gregory n'apprécierait guère, mais si ça devait lui sauver la vie... De toute façon, il était à présent inconscient, la respiration ralentie. Cet état persisterait plusieurs heures, jusqu'à ce que les effets de l'anesthésiant se soient dissipés.

De la fente du sol montait l'affreux bruit de succion produit par le gobelin, qui continuait d'aspirer le sang du prêtre. La créature, trop absorbée par son effroyable repas, ne se doutait pas que nous étions sur le point d'y mettre un terme.

Le docteur et moi n'échangeâmes pas un mot, juste un signe de tête. Je lui tendis le plat pour qu'il y recueille le sang dont j'avais besoin. Il prit une scie dans son sac et posa les dents de métal, froides et pointues, contre l'os de la jambe, juste au-dessous du genou.

La femme était toujours là. Les yeux fermés, elle marmonnait des mots indistincts. Je supposai qu'elle priait, et il me parut évident qu'elle ne nous serait d'aucun secours. Aussi, frissonnant, je m'agenouillai à côté du docteur.

– Inutile que tu voies ça, me dit-il. Tu seras sûrement témoin de choses bien pires, un jour ou l'autre ; mais, aujourd'hui, ce n'est pas nécessaire. Va, petit ! Occupe-toi de ton travail, je me charge du mien. Envoie-moi seulement les deux autres pour qu'ils m'aident à transporter cet homme sur la charrette quand j'en aurai terminé.

Moi qui serrais déjà les dents pour me préparer au spectacle, je ne me le fis pas répéter. Je retournai vers la fosse, soulagé. Avant que j'y sois parvenu, un cri aigu s'éleva, suivi de pleurs déchirants. Ce n'était pas le prêtre qui hurlait, il était sans connaissance. C'était la femme.

Les terrassiers avaient remonté la dalle, après s'être assurés qu'elle fermait hermétiquement la fosse, et en ôtaient la boue. Je les envoyai à l'église pour qu'ils prêtent main-forte au médecin, puis je plongeai la brosse dans le reste de colle et enduisit méticuleusement le dessous de la pierre.

À peine avais-je eu le temps d'apprécier mon ouvrage que l'aide-terrassier revenait avec le plat rempli de sang, prenant grand soin de ne pas en renverser une goutte. L'assiette-appât était une pièce capitale du dispositif. L'Épouvanteur en possédait une collection à Chipenden, et toutes avaient été conçues selon ses indications.

Je tirai les chaînes de ma poche. Il y en avait une longue, munie d'un anneau, d'où partaient trois autres, plus courtes, chacune garnie à son extrémité d'un crochet de métal. Je glissai les trois crochets dans les trous percés sur le rebord du plat. Lorsque je soulevai la chaîne principale, l'assiette-appât se trouva suspendue à l'horizontale ; il ne me fut pas difficile de la faire descendre au fond de la fosse et de la déposer doucement sur le sol.

En revanche, libérer les trois crochets exigeait une réelle habileté. Il fallait relâcher les chaînes de sorte que les crochets tombent d'eux-mêmes sans remuer le plat, pour ne pas perdre de sang.

J'avais passé des heures à m'entraîner et, malgré ma nervosité, je réussis à déloger les crochets du premier coup.

Je n'avais plus qu'à attendre.

Comme je le disais, les éventreurs sont les plus dangereux des gobelins, parce qu'ils se repaissent de sang. Ils sont vifs et très rusés, sauf quand ils sont occupés à se nourrir. Leur esprit s'engourdit alors, et ils mettent un certain temps à réagir.

Le mollet du prêtre était toujours coincé dans la fissure du carrelage de l'église, et le gobelin conti-nuait d'absorber le sang, lentement, pour faire durer son plaisir. C'est le comportement habituel d'un éventreur. Il ne pense à rien d'autre qu'à aspirer. Puis il s'aperçoit que le chaud liquide se tarit. Et il en veut encore ! Mais tous les sangs n'ont pas la même saveur, et l'éventreur aime le goût de celui qu'il vient de déguster. Il l'aime énormément...

Lorsque la créature découvrirait que le corps n'était plus attaché à la jambe, il partirait à sa recherche. Le médecin avait donc réclamé l'aide des terrassiers pour transporter rapidement le prêtre sur la charrette. Il était maintenant sorti de la ville, et chaque claquement de sabots l'éloignait un peu plus du gobelin assoiffé.

Un éventreur possède autant de flair qu'un chien de chasse. Il saurait vite dans quelle direction on emportait sa proie et comprendrait qu'elle lui échappait. Il sentirait alors qu'il y avait encore, tout près, un peu de ce sang délicieux...

Voilà pourquoi j'avais mis le plat dans la fosse. Voilà pourquoi on l'appelait l'assiette-appât. C'était la ruse pour attirer le gobelin dans le piège. Dès qu'il serait dedans, à s'abreuver, il ne faudrait pas traîner. On ne pouvait commettre la moindre erreur.

Je levai les yeux. L'aide-terrassier était debout sur la plate-forme, la main sur le levier qui abaisserait la pierre. Le patron se tenait face à moi, prêt à fixer la dalle dès qu'elle serait emboîtée. Ni l'un ni l'autre ne semblait effrayé, pas même nerveux, et je trouvai réconfortant de travailler avec des gens de cette trempe, des gens qui connaissaient leur métier. Nous tiendrions chacun notre rôle, nous ferions ce qu'il y avait à faire, avec efficacité. Je me sentais bien ; j'étais à ma place.

Tranquillement, nous attendîmes l'éventreur.

Au bout de quelques minutes, je perçus son approche. On aurait cru le vent sifflant entre les arbres.

Mais ce n'était pas le vent. Il n'y avait pas le moindre mouvement d'air, et, dans une étroite bande de ciel piquetée d'étoiles, entre un nuage et l'horizon, un croissant de lune ajoutait sa pâle clarté à la lumière de la lanterne.

Les terrassiers, eux, n'avaient rien entendu. Ils n'étaient pas le septième fils d'un septième fils, comme moi ! Je les avertis :

– Il arrive ! Guettez mon signal !

Le bruit était devenu strident, presque un cri, accompagné d'un autre son : une sorte de grogne-ment sourd. La créature traversait le cimetière ; elle avançait à vive allure, fonçant droit vers le plat rempli de sang, au fond de la fosse.

Contrairement aux gobelins ordinaires, un éven-treur est plus qu'un simple ectoplasme, surtout quand il est repu. Pourtant, la plupart des gens ne le voient pas ; en revanche, ils le sentent fort bien, si par malheur il s'attaque à leur chair !

Moi-même, je ne distinguais pas grand-chose – sinon une forme vague teintée de rouge. Puis un souffle me frôla le visage, et l'éventreur sauta dans la fosse. Je lâchai :

– Maintenant !

Le terrassier fit signe à son aide, qui resserra sa prise sur la chaîne du levier. À cet instant, un bruit monta du fond de la fosse, et, cette fois, nous l'entendîmes tous les trois. Jetant un bref regard à mes compagnons, je vis leurs yeux écarquillés, leur bouche ouverte. L'éventreur lapait le sang du plat. C'étaient les claquements d'une langue monstrueuse, mêlés aux reniflements féroces d'un gros carnivore. Dans une minute, il aurait fini. Il flairerait alors un autre sang, le nôtre...

L'aide relâcha la chaîne, et la dalle descendit à une vitesse régulière. Je la guidais d'un côté, le terrassier de l'autre. Si la fosse avait été creusée avec précision, si la pierre était exactement aux dimensions prévues, il n'y aurait pas de problème. C'est ce que je me répétais. Mais je ne cessais de penser au pauvre Billy Bradley, le dernier apprenti de l'Épouvanteur, qui avait tenté de piéger ainsi un éventreur. La pierre avait dérapé, coinçant la main du garçon. Avant qu'on ait pu la relever, le gobelin avait mangé ses doigts et aspiré son sang. Il était mort peu après. Malgré tous mes efforts, je n'arrivais pas à m'ôter cette histoire de la tête.

L'essentiel était de fermer hermétiquement la

fosse avec la dalle, sans laisser ses doigts dessous, bien sûr !

Le terrassier contrôlait le mouvement. À son signal, la chaîne s'arrêta, laissant la pierre en suspension à moins d'un pouce au-dessus du trou. Il se tourna vers moi, le visage grave, et leva un sourcil. Je donnai encore une poussée imperceptible, de sorte que la dalle me paraisse en parfaite position. Je vérifiai une dernière fois, puis acquiesçai d'un hochement de tête.

Un tour de chaîne, et la pierre s'incrusta dans la rainure, enfermant le gobelin.

Un hurlement de rage s'éleva de la fosse. Mais ça n'avait plus d'importance, parce que la créature était emprisonnée. Désormais, elle ne nous effrayait plus.

– Du beau boulot ! s'exclama l'aide-terrassier en sautant de la plate-forme, un sourire jusqu'aux oreilles. Ça s'est ajusté au poil !

– À croire que c'était fait exprès ! fit le terrassier, pince-sans-rire.

Je me sentais infiniment soulagé, content que tout soit achevé.

Un coup de tonnerre éclata soudain, tandis qu'un éclair déchirait le ciel, illuminant la pierre. Je découvris alors l'inscription que le maçon y avait gravée et qui me remplit de fierté :

Ward

La grande lettre grecque *bêta*, barrée d'une ligne diagonale, signifiait qu'un gobelin était enfermé là. À droite, le I en chiffre romain prévenait qu'il s'agissait d'une créature dangereuse de première catégorie. Il existait dix catégories, et les gobelins classés de un à quatre étaient des tueurs. En dessous était écrit mon nom, Ward, attestant que j'avais accompli ce travail.

Je venais d'entraver mon premier gobelin. Un éventreur !

2

Le passé de l'Épouvanteur

Deux jours plus tard, j'étais de retour à Chipenden.
Mon maître voulut aussitôt entendre le récit
de mon aventure. Lorsque j'eus terminé, il me pria
de le répéter. Puis il se gratta la barbe et poussa un
profond soupir.

– Qu'a dit le docteur à propos de mon imbécile
de frère ? voulut-il savoir. Va-t-il s'en tirer ?

– Il a déclaré que le pire était passé, mais qu'il
était encore trop tôt pour se prononcer.

L'Épouvanteur opina du chef, l'air pensif.

– Ma foi, petit, tu t'es bien débrouillé ! déclara-
t-il. On ne pouvait pas mieux faire. Va te promener,
je te donne ta journée. Mais que ça ne te monte pas
à la tête ! Après une bonne nuit de sommeil, on

reprendra nos exercices habituels. La routine quotidienne te remettra de ces émotions.

Le lendemain, il me fit travailler deux fois plus dur que d'ordinaire. Les leçons recommencèrent dès l'aube, agrémentées de ce qu'il appelait la « pratique ». Car, même si j'avais déjà entravé un véritable éventreur, il exigea que je continue de m'exercer à creuser des fosses.

– Il le faut vraiment ? demandai-je d'un ton las.

L'Épouvanteur me fixa d'un regard si méprisant que je baissai les yeux, mal à l'aise.

– Tu te crois désormais au-dessus de ça, petit ? Sache que tu ne l'es pas, et ne sois pas si suffisant ! Tu as encore beaucoup à apprendre. Tu es peut-être venu à bout de ton premier gobelin, mais tu avais de bons artisans à tes côtés. Un jour, tu seras seul, et tu devras être assez rapide pour sauver ta vie !

Après avoir creusé une fosse et l'avoir enduite du mélange de colle, de sel et de limaille de fer, je dus de nouveau descendre l'assiette-appât au fond sans renverser une seule goutte de son contenu. Comme il s'agissait d'un exercice, c'était de l'eau, pas du sang. Mais l'Épouvanteur, qui faisait toujours preuve du plus grand sérieux, se montrait contrarié si je ne réussissais pas à chaque tentative. Ce jour-là, il put être satisfait. Je fus habile à l'entraînement, accomplissant la manœuvre avec succès dix fois de suite. Malgré cela, mon maître ne m'accorda pas un mot de félicitations, ce qui me dépita quelque peu.

Vint ensuite un exercice pratique qui me plaisait particulièrement : le maniement de la chaîne d'argent. Un poteau de six pieds de haut, planté dans le jardin ouest, servait de cible. Je me plaçai à des distances variables et répétai le geste pendant plus d'une heure, gardant à l'esprit que, un jour ou l'autre, j'aurais une véritable sorcière en face de moi et que, si je la manquais, elle ne me laisserait pas une seconde chance. C'était un coup à prendre : on enroulait la chaîne autour de sa main gauche, puis, d'un vif mouvement de poignet, on la lançait de sorte qu'elle vienne s'enrouler serré autour du poteau. J'arrivai ce jour-là, à une distance de huit pieds, à atteindre ma cible neuf fois sur dix. M. Gregory ne me complimenta cependant qu'à contrecœur :

– Pas trop mal, je dois l'admettre. Mais quitte cet air béat, petit ! Une sorcière en chair et en os ne te fera pas la faveur de rester immobile en attendant que tu lances ta chaîne. À la fin de l'année, je veux du dix sur dix, pas moins !

Cela me froissa plus que je ne saurais le dire. J'avais travaillé dur et nettement progressé. De plus, j'avais entravé un gobelin sans l'aide de l'Épouvanteur. Je me demandais s'il avait été meilleur que moi, au temps où il était lui-même apprenti.

L'après-midi, mon maître me laissa travailler seul dans sa bibliothèque. Je lus, notai des informations dans mon cahier. Toutefois, il ne m'autorisait que certains livres. Il était très strict à ce sujet. C'était ma première année d'apprentissage, et mon principal sujet d'étude restait les gobelins. Pourtant, quand il était occupé ailleurs, je ne pouvais m'empêcher de jeter un coup d'œil sur d'autres ouvrages.

Ce jour-là, après avoir suffisamment étudié les gobelins, je m'approchai de trois longs rayonnages, près de la fenêtre, et m'emparai d'un des gros volumes à reliure de cuir rangés tout en haut de la dernière étagère. C'étaient des journaux tenus par les épouvanteurs précédents, certains datant de plusieurs centaines d'années. Chacun d'eux couvrait une période de cinq ans.

Je savais exactement ce que je cherchais. Je choisis l'un des premiers cahiers de notes de mon maître, curieux d'apprendre comment il travaillait quand il était encore un jeune homme, et s'il s'en tirait mieux que moi. Il avait été prêtre avant de commencer sa formation d'épouvanteur, il était donc plutôt âgé, pour un apprenti.

Je sélectionnai quelques pages au hasard et me mis à lire. Bien sûr, je reconnaissais son écriture, mais quelqu'un d'autre découvrant cet extrait n'aurait pu deviner qu'il était de sa main. L'Épouvanteur parle avec l'accent typique du Comté, sur un ton direct et dépourvu de ce que mon père appelle « des mines et des airs ». C'était fort différent quand il écrivait. Les nombreux ouvrages qu'il avait étudiés semblaient avoir modifié sa façon de s'exprimer. Moi, j'écris comme je parle. Si mon père avait l'occasion de lire mes notes, il serait fier et se dirait que je suis toujours son fils.

Ce que je lus d'abord était proche des écrits récents de l'Épouvanteur, sauf qu'il y avait beaucoup de fautes. Selon son habitude, il était très franc, expliquant chacune de ses erreurs. Il me répétait souvent combien il était important de noter les moindres détails, car on apprenait beaucoup de ses expériences.

Il racontait par exemple que, une semaine durant, il avait passé des heures et des heures à s'entraîner avec l'assiette-appât, et que son maître avait piqué une colère parce qu'il ne réussissait que huit fois sur dix. Cela me réconforta. Puis je tombai sur un passage qui me revigora tout à fait : l'Épouvanteur n'avait entravé son premier gobelin qu'après dix-huit mois d'apprentissage. Qui plus est, ce n'était qu'un gobelin velu, pas un dangereux éventreur !

Ce fut ce que je trouvai de mieux pour me remonter le moral. Malgré tout, il était clair que l'Épouvanteur avait été un bon apprenti, sérieux et travailleur. Je feuilletai ensuite rapidement des pages ne décrivant que la routine quotidienne, jusqu'à ce que j'arrive au moment où mon maître était devenu épouvanteur et avait commencé à travailler seul.

J'en savais assez et m'apprêtais à fermer le livre lorsqu'une ligne attira mon regard. Je revins au début du chapitre, pour être sûr, et voici ce que je découvris. Je ne le retranscris sans doute pas mot à mot, mais je possède une excellente mémoire ; c'est donc assez fidèle. Et, après avoir lu ce que mon maître avait écrit, je n'étais pas près de l'oublier !

À la fin de l'automne, je me suis rendu au nord du Comté. On m'appelait là-bas pour m'occuper d'un non-humain, une créature qui répandait la terreur dans le pays depuis trop longtemps. Bien des familles avaient eu à souffrir de sa cruauté, il y avait eu des morts, des gens mutilés.

J'arrivai dans la forêt au crépuscule. Toutes les feuilles étaient tombées et pourrissaient sur le sol. J'aperçus une tour évoquant le bras noir d'un démon levé vers le ciel. On avait vu une jeune fille faire des signes depuis l'unique fenêtre, appelant désespérément à l'aide. La créature s'était emparée d'elle et l'avait emprisonnée derrière ces murs de pierre humides, usant d'elle comme d'un jouet.

Je commençai par allumer un feu et restai un moment assis à contempler les flammes, tâchant de rassembler mon courage. Je sortis de mon sac ma pierre à aiguiser et affûtai ma lame jusqu'à ce que mon doigt saignât rien qu'en touchant le fil. Enfin, à minuit, j'allai jusqu'à la tour et frappai à la porte avec mon bâton en manière de défi.

La créature sortit, rugissant de rage et brandissant un gros gourdin. C'était un être immonde, vêtu de peaux de bêtes, puant le sang et la graisse animale. Il m'attaqua avec furie.

Je reculai d'abord, attendant le moment propice ; mais il se jeta sur moi. Je tirai alors ma lame et l'abattis de toutes mes forces sur sa tête. Il tomba à mes pieds comme une pierre, mort. Je n'avais nul regret de lui avoir ôté la vie, car il aurait continué à tuer et tuer encore, sans se rassasier de meurtres.

C'est alors que la fille m'appela. Sa douce voix de sirène m'attira vers l'escalier de pierre. Je la trouvai dans la plus haute pièce, étendue sur une paillasse et entravée par une chaîne d'argent. Une peau de lait, de longs cheveux blonds ; jamais mes yeux ne s'étaient posés sur une femme aussi belle. Elle me dit s'appeler Meg et me supplia de la délivrer. Elle était si persuasive que ma raison vacilla et que le monde se mit à tanguer autour de moi.

À peine l'avais-je libérée de la chaîne qu'elle appuya avec fougue ses lèvres sur les miennes. Et son baiser était d'une telle douceur que je crus défaillir dans ses bras.

Les rayons du soleil qui passaient par la fenêtre me ranimèrent, et je la vis clairement pour la première fois. C'était une sorcière lamia, qui portait la marque du serpent. Si son visage était d'une grande beauté, son dos était recouvert d'écailles vertes et jaunes.

Rendu fou de colère par sa fourberie, je la ligotai de nouveau avec la chaîne et l'emmenai à Chipenden pour la mettre dans une fosse. Lorsque je la détachai, elle se débattit avec rage, et je ne la maîtrisai qu'à grand-peine. Je dus la traîner par les cheveux entre les arbres, tandis qu'elle fulminait et hurlait à en réveiller les morts. Il pleuvait fort, et elle glissait sur l'herbe mouillée, mais je continuais de la traîner, bien que ses bras et ses jambes nus fussent griffés par les ronces. C'était cruel ; pourtant, il le fallait.

Cependant, quand je voulus la faire basculer dans la fosse, elle s'accrocha à mes genoux et se mit à sangloter pitoyablement. Je restai indécis un long moment, plein d'angoisse, près de tomber moi-même dans la fosse, jusqu'à ce que je prenne une décision, conscient que j'aurais sans doute à le regretter.

Je l'aidai à se redresser, l'enveloppai de mes bras et, tous deux, nous sanglotâmes. Comment aurais-je pu l'enfermer dans ce trou, alors que, je le comprenais à présent, je l'aimais plus que mon âme ?

Je lui demandai pardon et nous partîmes ensemble, main dans la main, loin de la fosse.

De cette rencontre, il me reste une chaîne d'argent, un instrument de grand prix que je n'aurais pu acquérir qu'après de longs mois de dur labeur. Ce que j'ai perdu, ou perdrai peut-être, je n'ose l'imaginer.

La beauté est une chose redoutable ; elle lie un homme plus sûrement qu'une chaîne d'argent n'entrave une sorcière.

J'avais peine à croire ce que je venais de lire ! L'Épouvanteur m'avait répété à maintes reprises de me méfier des jolies filles, et il avait transgressé sa propre règle ! Meg était une sorcière ; pourtant, il ne l'avait pas enfermée dans la fosse !

Je feuilletai rapidement la fin du cahier, dans l'espoir de relever une autre allusion à cette femme, mais je ne trouvai rien, rien du tout ! On aurait dit qu'elle avait cessé d'exister.

Si je savais pas mal de choses au sujet des sorcières, je n'avais encore jamais entendu parler de sorcière lamia.

Je remis le volume en place et cherchai sur le rayon en dessous, où les livres étaient classés par ordre alphabétique. J'ouvris un exemplaire portant l'étiquette *Sorcière* ; je n'y lus aucune référence à Meg. Pourquoi l'Épouvanteur n'avait-il rien écrit d'autre sur elle ? Que lui était-il arrivé ? Était-elle toujours en vie ? Quelque part par ici, dans le Comté ?

Poussé par la curiosité, je tirai un gros volume de l'étagère du bas. Il s'intitulait *Le bestiaire* et répertoriait toutes les espèces de créatures, sorcières comprises. Je tombai enfin sur le chapitre qui m'intéressait : « Les sorcières lamia ».

J'appris que ces sorcières particulières n'étaient pas natives du Comté ; elles venaient d'un pays au-delà de la mer. Elles redoutaient la lumière du soleil et, la nuit, elles pourchassaient les hommes pour se nourrir de leur sang. Elles avaient la capacité de se métamorphoser et se partageaient en deux catégories : les sauvages et les domestiques.

Les sauvages étaient des sorcières lamia à l'état naturel, dangereuses, imprévisibles, et ne ressemblant que fort peu aux humains. Leur peau était écailleuse, et elles avaient des griffes en guise d'ongles. Certaines se déplaçaient à quatre pattes, d'autres possédaient des ailes, un corps recouvert de plumes, et volaient sur de courtes distances.

Au contact des humains, une lamia sauvage pouvait se changer en lamia domestique. Elle prenait peu à peu l'aspect d'une femme, tout en conservant généralement une étroite ligne d'écailles jaunes et vertes le long de la colonne vertébrale. Des lamias domestiques avaient parfois été amenées à adopter les croyances des humains. Elle cessaient alors d'être des pernicieuses et devenaient des bénévolentes, s'appliquant à faire le bien.

Peut-être Meg était-elle une bénévolente ? Peut-être l'Épouvanteur avait-il eu raison de ne pas l'enfermer dans la fosse ?

Je m'aperçus soudain qu'il était tard et je quittai

la bibliothèque en courant pour prendre ma leçon, encore tout étourdi par ces révélations.

Quelques minutes plus tard, M. Gregory et moi étions dans le jardin ouest, sous les arbres, à l'endroit où la vue sur les collines était dégagée, tandis que le soleil d'automne descendait à l'horizon. Je m'assis sur notre banc habituel et notai ce que l'Épouvanteur me dictait tout en marchant de long en large. Mais je n'arrivais pas à me concentrer.

Nous avions commencé une leçon de latin. J'avais un cahier réservé à la grammaire et au vocabulaire nouveau que mon maître m'enseignait. J'y avais écrit des listes et des listes de mots, et il était presque plein.

J'aurais aimé interroger l'Épouvanteur sur ce que je venais de lire et ne savais comment m'y prendre. J'avais enfreint la règle en consultant des livres interdits. Je n'étais pas censé prendre connaissance de son journal, et je regrettais de l'avoir fait. Si je lui en parlais, il serait furieux.

Ces pensées tournaient dans ma tête, et j'avais de plus en plus de mal à rester attentif à la leçon. Par ailleurs, j'avais faim et j'attendais avec impatience l'heure du dîner. Généralement, mon maître me laissait libre en fin de journée ; or, ce jour-là, il ne me ménageait pas. Cependant, le soleil se coucherait dans moins d'une heure, et l'essentiel de la leçon était terminé.

J'entendis alors un son qui me fit grommeler intérieurement. Une cloche sonnait. Pas la cloche de l'église. Non, c'était le timbre très particulier de celle qui annonçait nos visiteurs. Personne n'avait le droit de monter jusqu'à la maison de l'Épouvanteur ; les gens qui avaient besoin de lui devaient se rendre à un croisement, à la sortie du village, et tirer la cloche pour l'avertir.

– Va voir ce que c'est, petit ! me dit-il avec un mouvement du menton.

En temps normal, nous y serions allés tous les deux, mais il se sentait encore faible.

Je partis sans précipitation et, dès que je fus hors de vue, je marchai à une allure de promenade. Le crépuscule approchait, on ne pourrait rien entreprendre le soir même, d'autant que l'Épouvanteur n'était pas complètement remis. Ça attendrait le matin, de toute façon. Je m'informerais du problème et ferais un rapport détaillé à mon maître pendant le souper. Plus tard je rentrerais, moins j'aurais de leçon à noter. Le poignet me faisait mal d'avoir tant écrit.

Le croisement, entouré de saules – qu'on appelle dans le Comté les « arbres à osier » –, était un lieu lugubre, même en plein jour, qui me mettait mal à l'aise. D'une part, on ne savait jamais qui on allait y rencontrer ; d'autre part, on ne nous appelait que pour nous annoncer de mauvaises nouvelles, nécessitant l'intervention de l'Épouvanteur.

Un jeune homme m'attendait là, un garçon aux ongles sales, chaussé de grosses bottes de mineur. Il paraissait encore plus nerveux que moi, et il me débita son histoire à une telle vitesse que je n'y compris rien et le priai de répéter. Puis il s'en alla, et je retournai à la maison. Au pas de course, cette fois.

L'Épouvanteur était toujours près du banc, la tête baissée. À mon arrivée, il leva les yeux et me regarda, le visage triste. Je supposai que, d'une manière ou d'une autre, il savait déjà ce que j'avais à lui apprendre. Je le lui transmis, malgré tout :

– J'ai de mauvaises nouvelles de Horshaw, annonçai-je, hors d'haleine. Je suis désolé, c'est à propos de votre frère. Le docteur n'a pas pu le sauver. Il est mort hier, juste avant l'aube. L'enterrement aura lieu vendredi matin.

Mon maître poussa un profond soupir et resta muet plusieurs minutes. Embarrassé, je me taisais aussi. Que pouvait-il éprouver ? Ils ne s'étaient pas parlé depuis quarante ans, mais le prêtre était son frère, et il avait sûrement de bons souvenirs de lui, du temps où ils étaient enfants, avant leurs querelles.

Au bout d'un moment, il soupira de nouveau, puis il déclara :

– Viens, petit ! Autant dîner de bonne heure.

Nous mangeâmes en silence. L'Épouvanteur touchait à peine à la nourriture. Était-ce à cause de la mort de son frère, ou parce qu'il n'avait pas retrouvé l'appétit depuis sa maladie ? D'habitude, il lâchait au moins quelques mots, ne serait-ce que pour me demander comment je trouvais le repas. C'était une sorte de rituel, car nous devions féliciter le gobelin domestique qui s'occupait de la cuisine ; sinon, il boudait. Ne pas s'exclamer que le dîner était délicieux, c'était s'assurer d'avoir du bacon brûlé au petit déjeuner.

– C'est vraiment un excellent ragoût, dis-je enfin. Voilà longtemps que je n'en ai pas mangé d'aussi bon.

La plupart du temps, le gobelin était invisible, mais il prenait parfois l'apparence d'un gros chat roux. Lorsqu'il était content, il se frottait contre mes jambes, sous la table. Ce soir-là, je perçus à peine un léger ronronnement. Soit je n'avais pas paru assez convaincant, soit il se faisait discret à cause de la mauvaise nouvelle.

L'Épouvanteur repoussa soudain son assiette et se gratta la barbe.

– Nous allons à Priestown, lâcha-t-il brusquement. Nous partirons demain à la première heure.

Priestown ? Je n'en croyais pas mes oreilles. Mon maître évitait cette ville comme la peste ; il m'avait confié un jour qu'il n'y mettrait plus les pieds. Il ne m'avait pas dit pourquoi, et je ne l'avais pas interrogé, car, lorsqu'il ne voulait pas donner d'explication, on le devinait fort bien. Ce jour-là, alors que nous étions à un jet de pierre de la côte et nous apprêtions à franchir la rivière Ribble, la haine de l'Épouvanteur pour la cité ne nous avait pas facilité la tâche. Au lieu de traverser le pont de Priestown, nous avions fait un détour de plusieurs lieues pour emprunter un autre pont.

– Pourquoi ? chuchotai-je, tant je craignais que cette question le mette en colère. Je croyais que nous irions à Horshaw, pour l'enterrement.

– Nous allons à l'enterrement, petit, me répondit-il d'un ton patient. Mon idiot de frère était en poste à Horshaw, mais il était prêtre. Quand un prêtre du Comté meurt, on transporte son corps à Priestown, et le service funèbre est célébré à la cathédrale. Puis la dépouille mortelle est enterrée dans le cimetière attenant. Aussi irons-nous là-bas lui rendre les derniers hommages. Ce n'est pas la seule raison. J'ai un travail à terminer dans cette ville maudite. Prends ton cahier, petit. Ouvre-le à une nouvelle page et inscris ce titre...

Je n'avais pas fini mon ragoût, j'obéis cependant sur-le-champ. Quand il avait prononcé les mots « un travail à terminer », j'avais deviné qu'il s'agissait d'une tâche d'épouvanteur. Je tirai donc ma bouteille d'encre de ma poche et la posai sur la table, à côté de mon assiette.

Une angoisse me prit soudain :

– Est-ce cet éventreur que j'ai entravé ? Il s'est échappé ? Nous n'avions pas le temps de creuser jusqu'à neuf pieds. Est-ce lui qui est à Priestown ?

– Non, mon garçon. Tu as fait ce qu'il fallait. C'est une créature bien plus dangereuse. Je l'ai affrontée il y a vingt ans. J'y ai mis le meilleur de moi-même. J'ai dû ensuite garder le lit pendant près de six mois. J'ai manqué d'en mourir. Je ne suis pas retourné là-bas depuis cette époque. Puisque nous somme obligés de nous y rendre, autant terminer le travail. Ce n'est pas un quelconque éventreur qui hante cette cité maudite. C'est un esprit ancien et particulièrement maléfique, appelé le Fléau. Il est le seul de son espèce. Sa puissance ne cesse d'augmenter, il faut donc mettre un terme à ses agissements. Je ne peux me dérober plus longtemps.

Je notai « Le Fléau » en tête de chapitre sur une page vierge. Or, à ma grande déception, mon maître secoua la tête et bâilla largement.

– À la réflexion, cela peut attendre, déclara-t-il. Finis de manger, petit ! Nous nous lèverons très tôt demain matin, nous ferions mieux d'aller nous coucher.

3

Le Fléau

Nous partîmes juste après l'aube. Comme à l'accoutumée, je portais la lourde sacoche de l'Épouvanteur. Au bout d'une heure, je compris que le voyage nous prendrait au moins deux jours. D'ordinaire, mon maître marchait à grands pas, m'obligeant presque à courir pour ne pas me laisser distancer. Mais il n'avait pas tout à fait récupéré, il s'essoufflait vite et devait s'arrêter régulièrement.

C'était une belle journée d'automne ensoleillée, quoique déjà fraîche. Le ciel était bleu, les oiseaux chantaient. Malgré cela, je ne cessais de penser au Fléau.

Ce qui m'inquiétait le plus, c'était que l'Épouvanteur avait manqué de perdre la vie en tentant de l'entraver. Or, il était bien plus jeune à l'époque. Comment réussirait-il à le vaincre aujourd'hui ?

Aussi, à midi, quand nous fîmes une longue halte, décidai-je de l'interroger sur cette terrible créature. Je ne posai pas la question tout de suite, parce que, à ma grande surprise, il tira de son sac une miche de pain et un morceau de jambon ; il en coupa une large tranche pour lui et une pour moi. D'habitude, lorsque nous étions en chemin pour accomplir un travail, nous nous contentions d'un maigre bout de fromage, car il fallait rester le ventre vide pour affronter l'obscur.

Comme j'avais faim, je me gardai bien de protester. Je supposais que nous jeûnerions après les funérailles, et que mon maître avait besoin de reprendre des forces.

Quand j'eus fini de manger, je respirai profondément et m'enquis du Fléau en ouvrant mon cahier. Il me surprit de nouveau en me faisant signe de le ranger.

– Tu écriras ceci plus tard, sur le chemin du retour, dit-il. D'ailleurs, j'ai moi-même encore beaucoup à apprendre sur cette créature. Inutile de noter quelque chose que tu devrais corriger ensuite.

J'en restai bouche bée. J'avais toujours cru que l'Épouvanteur maîtrisait parfaitement ce qui concernait l'obscur.

– Ne prends pas cet air effaré, petit ! Comme tu le sais, je continue de tenir mon journal. Tu feras de même, si tu vis aussi vieux que moi. Dans ce travail, on ne cesse d'apprendre, et le début de la connaissance est d'accepter son ignorance. Comme je te l'ai dit hier, le Fléau est un esprit très ancien et particulièrement maléfique, qui a failli venir à bout de moi, j'ai honte de l'admettre. J'espère que, cette fois, il n'en sera pas ainsi. La difficulté, c'est d'abord de le dénicher. Il vit sous la cathédrale de Priestown, dans des catacombes, qui abritent un immense réseau de galeries.

– À quoi servent les catacombes ? demandai-je, étonné.

– Elles sont remplies de cryptes, des chambres funéraires souterraines qui contiennent de vieux ossements. Ces galeries existaient bien avant la construction de la cathédrale. La colline était déjà une terre sacrée quand les premiers prêtres arrivèrent de l'ouest sur leurs bateaux.

– Alors, qui les a creusées, ces catacombes ?

– Des gens que certains appellent « le Petit Peuple », en raison de leur taille. Leur véritable nom est les Segantii. On ne sait pas grand-chose d'eux, sinon qu'à l'origine le Fléau était leur dieu.

– Le Fléau est un dieu ?

– C'est du moins un être puissant. Très tôt, le Petit Peuple a reconnu son pouvoir et lui a dédié un culte. Il semble que le Fléau veuille redevenir un dieu. Jadis, il vagabondait dans le Comté en toute liberté. Au cours des siècles, il s'est corrompu. Il est devenu mauvais et s'est mis à terroriser le Petit Peuple, le harcelant jour et nuit, dressant les gens les uns contre les autres, détruisant les récoltes, brûlant les maisons, massacrant des innocents. Il trouvait son plaisir à les voir vivre dans la peur et la pauvreté. Il les tourmenta au point de leur ôter le goût de vivre. Ce fut une sombre et terrible époque pour les Segantii.

« Mais le Fléau ne s'attaquait pas uniquement aux pauvres gens. Le roi des Segantii était un homme juste et bon. Il s'appelait Heys. Il avait vaincu tous ses ennemis et s'efforçait de rendre son pays fort et prospère. Or, un ennemi lui résistait : le Fléau. Celui-ci exigea du roi Heys un terrible tribut : lui sacrifier ses sept fils, en commençant par l'aîné. Un fils chaque année, jusqu'à ce qu'il n'en reste plus un seul. Aucun père ne peut supporter une chose pareille ! Heureusement, Maze, le plus jeune fils, réussit à enfermer le Fléau dans les catacombes. Si je découvrais comment il s'y est pris, il me serait plus facile de vaincre cette créature. Tout ce que j'ai pu apprendre, c'est qu'il a condamné la sortie avec une grille en argent fermée à clé. Comme beaucoup de créatures de l'ombre, le Fléau est vulnérable à l'argent.

– Il est toujours enfermé dans les galeries ?

– Oui. Il sera coincé là tant que personne n'ouvrira la grille pour le libérer. Tous les prêtres sont au courant. Cette information se transmet de génération en génération.

– Ne peut-il pas s'échapper par un autre moyen ? Comment la grille d'argent suffit-elle à le retenir ?

– Je l'ignore, petit. Je sais seulement que le Fléau est enfermé dans les catacombes et ne peut en sortir que par cette porte.

J'aurais voulu demander pourquoi on ne se contentait pas de l'oublier là, puisqu'il était incapable de s'évader, mais mon maître répondit à la question avant que je l'aie posée. Il me connaissait assez bien, à présent, pour deviner mes pensées.

– Malheureusement, reprit-il, on ne peut laisser les choses en l'état, j'en ai peur. Vois-tu, mon garçon, il devient chaque jour plus fort. Il n'a pas toujours été un esprit. Il en est devenu un après avoir été entravé. Quand il était au faîte de sa puissance, il avait un corps de chair.

– À quoi ressemblait-il ?

– Tu le sauras demain. Avant d'entrer dans la cathédrale pour le service funèbre, regarde la pierre sculptée juste au-dessus du grand portail. C'est une représentation fort intéressante du personnage, tu verras.

– L'avez-vous vu en vrai ?

– Non, petit. Il y a vingt ans, quand j'ai tenté de le détruire, il n'était encore qu'un esprit. Toutefois, la rumeur prétend qu'il est redevenu si puissant qu'il peut prendre l'apparence d'autres créatures.

– Que voulez-vous dire ?

– Qu'il est en pleine mutation et que d'ici peu il aura retrouvé sa forme originelle. Il sera alors capable de forcer n'importe qui à agir selon sa volonté. Et le pire serait qu'il oblige quelqu'un à déverrouiller la Grille d'Argent. Voilà le plus terrifiant.

– Mais d'où tire-t-il sa force ?

– Du sang, pour l'essentiel. Celui des animaux – et des humains. Il est assoiffé de sang. Par chance, contrairement aux éventreurs, il ne prend le sang d'un humain que lorsque celui-ci y consent.

– Qui voudrait lui offrir son propre sang ? soufflai-je, abasourdi.

– Il pénètre l'esprit des gens et les séduit en leur offrant de l'argent, des honneurs, du pouvoir, n'importe quoi. Si la persuasion ne suffit pas, il use de terreur. Parfois, il attire ses proies jusqu'aux catacombes et les menace de ce que nous appelons « le pressoir ».

– Le pressoir ?

– Oui, petit. Il a la faculté d'augmenter son poids, et l'on retrouve ses victimes écrasées, les os broyés et le corps incrusté dans le sol. Il faut les racler pour pouvoir ensuite les enterrer. Ils ont été

« pressés », et ce n'est pas beau à voir. Si le Fléau ne peut aspirer le sang de quelqu'un contre son gré, souviens-toi que personne ne résiste au pressoir.

– Je n'arrive pas à comprendre comment il s'y prend, tout en étant piégé au fond des catacombes !

– Il lit dans les pensées, s'introduit dans les rêves, affaiblit et corrompt les esprits de ceux qui vivent à la surface. Parfois, il regarde même par leurs yeux. Son emprise s'étend sur la cathédrale et le presbytère, il terrorise les prêtres. Sa malignité empoisonne ainsi la ville depuis des années.

– Et il s'attaque aux prêtres ?

– Oui, surtout aux esprits faibles, dont il se sert pour commettre ses méfaits. Mon autre frère, Andrew, est serrurier à Priestown. Il m'a envoyé plus d'une fois des informations sur ce qui s'y passe. Le Fléau vide les esprits de toute volonté. Il manipule les gens à sa guise, étouffant en eux la voix de la bonté et de la raison : ils deviennent avides et cruels, ils abusent de leur autorité, dépouillent les pauvres et les malades. Dans Priestown, la dîme est perçue deux fois par an.

Je savais ce qu'était la dîme : une taxe que chacun devait verser chaque année à l'église locale, représentant le dixième de son revenu. Telle était la loi.

– Payer la dîme une fois représente déjà une lourde charge, continua l'Épouvanteur. Alors, deux fois ! Autant ouvrir la porte au loup ! Le Fléau fait régner la peur sur la cité et plonge peu à peu ses habitants dans la misère ; ainsi agissait-il avec les Segantii. Il est l'une des manifestations de l'obscur les plus puissantes et les plus maléfiques que j'aie jamais connues. Cette situation ne peut durer. Je dois y mettre un terme avant qu'il ne soit trop tard.

– Comment comptez-vous vous y prendre ?

– À vrai dire, je ne le sais pas encore. Le Fléau est retors, capable de lire dans nos pensées et même de les deviner avant que nous les ayons formulées. Mais sa vulnérabilité face à l'argent n'est pas son seul point faible. Les femmes le rendent nerveux, il évite leur compagnie. Il ne supporte pas leur pré-sence – ce que je comprends. Comment utiliser cette singularité à notre avantage ? C'est ce à quoi il nous faut réfléchir.

L'Épouvanteur m'avait souvent conseillé de me méfier des filles – et avec raison ! – en particulier celles qui portaient des souliers pointus. J'étais donc habitué à ce genre de raisonnement. Mais, maintenant que j'avais découvert l'histoire de Meg, je supposais que cela influait sur son jugement.

En tout cas, mon maître venait de me donner matière à penser ! Il y avait beaucoup d'églises à Priestown, de nombreux prêtres et des congré-gations. Tous ces gens avaient foi en Dieu. Se pour-rait-il qu'ils soient dans l'erreur ? Si Dieu était aussi puissant qu'ils l'assuraient, pourquoi ne les délivraitil pas du Fléau ? Pourquoi le laissait-il corrompre ses ministres et répandre le mal dans la ville ?

Mon père était croyant, même s'il ne mettait jamais les pieds à l'église. Personne n'y allait, dans la famille, parce que le travail de la ferme ne s'interrompt pas le dimanche : il y a toujours les vaches à traire et beaucoup d'autres tâches. Je m'interrogeais soudain sur l'opinion de l'Épouvanteur, d'autant qu'il avait été prêtre, maman me l'avait dit.

– Croyez-vous en Dieu ? demandai-je.

– J'y ai cru, répondit-il, songeur. Enfant, je n'ai jamais douté un seul instant de son existence. Mais j'ai changé. Vois-tu, petit, quand on atteint un certain âge, on remet bien des idées en question. À présent, je n'ai plus de certitudes, je me contente de garder l'esprit ouvert.

Après une pause, il poursuivit :

– Je peux néanmoins te révéler ceci : deux ou trois fois dans ma vie, je me suis trouvé dans une situation si critique que j'ai cru ne pas m'en sortir. J'ai affronté l'obscur et je me suis – presque ! – résigné à la mort. Puis, alors que tout semblait perdu, j'ai senti en moi une force nouvelle. D'où provenait-elle ? Je ne peux que faire des suppositions. Avec cette force me venait également un étrange sentiment : quelqu'un ou quelque chose était à mes côtés. Je n'étais plus seul.

Il soupira profondément et reprit :

– Je ne crois pas au Dieu qu'on prie dans les églises, ni à un bon vieillard à barbe blanche, mais à Quelqu'un qui veille sur nous. Si nous vivons avec droiture, il sera auprès de nous aux heures difficiles, pour nous soutenir. Voilà ce que je crois. Allons, viens, petit ! Nous avons assez traîné, il est temps de se remettre en route.

Je ramassai son sac et le suivis. Nous quittâmes bientôt la route pour emprunter un raccourci à travers bois et prairies. C'était une marche agréable, pourtant nous fîmes une longue halte avant le coucher du soleil. L'Épouvanteur était trop épuisé pour continuer.

Quant à moi, j'avais un mauvais pressentiment, une angoissante impression de danger.

4

Priestown

Priestown était bâtie sur les rives du Ribble. Ce serait la première fois que je visiterais une cité de cette importance. Tandis que nous descendions la colline, la rivière nous apparut, tel un énorme serpent orangé dans la lumière du couchant.

C'était la ville des églises, dont les flèches et les tours dominaient des rangées de maisons basses, serrées les unes contre les autres. Au centre, sur une butte, s'élevait la cathédrale. Trois des plus grandes églises que j'avais vues dans ma vie auraient tenu facilement à l'intérieur. Quant à son clocher, c'était quelque chose ! Taillé dans le calcaire, il était si blanc, si élevé que, les jours de pluie, la croix plantée à son sommet devait disparaître dans les nuages.

– Est-ce le plus haut clocher du monde ? demandai-je, ébahi.

Mon maître m'adressa un de ses rares sourires :

– Non, petit ! Mais c'est le plus haut du Comté, comme il se doit pour une ville qui abrite un tel nombre de prêtres. Je souhaiterais qu'il y en ait moins ! Hélas, nous devrons nous en arranger.

Son sourire s'effaça soudain.

– Quand on parle du loup…, grommela-t-il entre ses dents.

Par un trou de la haie longeant le sentier, il m'entraîna dans un champ attenant. Un doigt sur ses lèvres, il me fit signe de garder le silence et de m'accroupir près de lui. Un marcheur approchait.

Entre les branches d'aubépine, j'aperçus le bas d'une soutane. Un prêtre !

Nous restâmes cachés bien après que le bruit de ses pas se soit éloigné. Alors seulement, l'Épouvanteur me ramena sur le sentier. Je ne comprenais pas pourquoi il faisait toutes ces histoires. En chemin, nous avions croisé plusieurs membres du clergé ; nous ne nous étions pas cachés pour autant.

– Nous devons nous tenir sur nos gardes, petit, m'expliqua mon maître. Les prêtres représentent un réel danger dans cette ville. L'archevêque, vois-tu, est l'oncle du Grand Inquisiteur. Je suppose que tu as entendu parler de lui.

Je hochai la tête :

– Il pourchasse les sorcières, n'est-ce pas ?

– En effet. Lorsqu'il capture une personne qu'il considère comme sorcière ou sorcier, il met sa toque noire et préside le tribunal lors du jugement – un jugement généralement vite expédié. Le lendemain, il coiffe un autre chapeau. Il devient l'exécuteur, et on dresse le bûcher. Il a la réputation d'exceller dans ce rôle, et il y a toujours foule pour assister au supplice. On dit qu'il a un talent pour placer le poteau de manière que les malheureuses victimes mettent longtemps à mourir. La souffrance est censée faire naître le remords chez la sorcière et l'inciter à implorer le pardon de Dieu pour ses fautes. Ainsi, lorsqu'elle meurt, elle a sauvé son âme. Mais ce n'est qu'un prétexte. L'Inquisiteur ne possède pas les connaissances d'un épouvanteur ; il ne reconnaîtrait pas une véritable sorcière, sortirait-elle de la tombe en lui agrippant la cheville ! Non, ce n'est qu'un homme cruel, qui prend plaisir à voir souffrir et s'enrichit en revendant les biens des gens qu'il a condamnés.

« Voilà qui me ramène à ce qui nous concerne. Vois-tu, l'Inquisiteur considère les épouvanteurs comme des sorciers. L'Église n'a guère de sympathie pour ceux qui ont affaire à l'obscur, même s'ils le combattent. D'après elle, seuls les prêtres devraient remplir cette tâche. L'Inquisiteur a le pouvoir d'arrêter qui bon lui semble ; il a des gardes armés à son service. Mais rassure-toi, petit ! Ça, c'est la mauvaise nouvelle. La bonne, c'est que l'Inquisiteur habite une grande ville à l'extrême sud du pays, loin des frontières du Comté. Donc, si nous sommes dénoncés, il lui faudra une bonne semaine pour arriver jusqu'ici. De plus, ma venue sera une surprise. Personne ne s'attend à ce que j'assiste aux funérailles d'un frère à qui je n'ai pas parlé depuis quarante ans !

Ces paroles n'étaient cependant pas pour me rassurer. Quand nous parvînmes au bas de la colline, j'en frissonnais encore. Entrer dans la ville était risqué. Avec son bâton et son grand manteau, mon maître serait aussitôt identifié pour ce qu'il était : un épouvanteur.

J'étais sur le point de lui en faire la remarque quand il quitta la route pour pénétrer dans un bosquet. Je le suivis. Au bout d'une trentaine de pas, il s'arrêta.

– Bien ! fit-il. Enlève ton manteau et donne-le-moi !

Je ne protestai pas. Au ton qu'il avait employé, je me doutai que c'était important, bien que je ne devine pas en quoi. Il ôta son propre manteau à capuchon et posa son bâton sur le sol.

– Maintenant, dit-il, trouve-moi des branches fines et du petit bois ! Rien de lourd, surtout !

J'obéis et, quelques minutes plus tard, je le regardai placer son bâton parmi les branches et envelopper le tout avec nos manteaux. À cet instant, bien sûr, j'avais compris : en voyant dépasser les branches à chaque bout du balluchon, on penserait que nous avions ramassé des fagots pour le feu. C'était une sorte de déguisement.

– Il y a plusieurs auberges modestes dans le quartier de la cathédrale, m'expliqua-t-il en me tendant une pièce d'argent. Mieux vaut pour toi que nous ne logions pas dans la même, car, si j'étais dénoncé, tu serais arrêté aussi. Il est également préférable que tu ignores où je loge ! L'Inquisiteur use de la torture. Qu'il tienne l'un de nous, et il tiendra bientôt l'autre. J'entrerai en ville le premier. Laisse-moi dix minutes d'avance, puis vas-y.

« Tu choisiras une auberge dont le nom n'évoquera rien de religieux, ainsi, nous serons sûrs de ne pas nous retrouver ensemble. Et ne mange rien ce soir, car dès demain nous nous mettrons au travail. L'enterrement est à neuf heures du matin. Tâche d'arriver de bonne heure et assieds-toi au fond de la cathédrale. Si j'y suis déjà, reste à distance.

« Se mettre au travail », dans la bouche de mon maître signifiait faire notre métier d'épouvanteur. Descendrions-nous dans les catacombes pour y affronter le Fléau ? Cette perspective ne me réjouissait guère.

– Ah ! Encore une chose, s'exclama mon maître au moment de partir. Tu te chargeras de mon sac. Que dois-tu te rappeler, quand tu traverses un endroit comme Priestown ?

– De le porter dans la main droite, dis-je.

Il hocha la tête d'un air satisfait, chargea le fagot sur son épaule droite et s'éloigna.

Nous étions gauchers l'un et l'autre, une particularité que certains prêtres réprouvaient. Selon eux, nous étions des « gauchis », facilement tentés par le démon, voire prêts à faire alliance avec lui.

Je lui accordai dix grosses minutes, pour être certain de laisser assez de distance entre nous. Puis, empoignant son sac pesant, je repris la route. Une fois arrivé en ville, je grimpai vers la cathédrale et, lorsque j'en fus tout proche, me mis en quête d'une auberge.

Chaque rue pavée possédait la sienne. La plupart semblaient correctes, malheureusement toutes portaient un nom ayant rapport à l'Église. *La Crosse de l'Évêque* côtoyait *L'Auberge du Clocher*. On trouvait *Le Joyeux Moine*, *La Mitre*, *Le Livre et le Cierge*, pour n'en nommer que quelques-unes. Cette dernière me rappela la raison qui nous amenait à Priestown : le père Gregory, le frère de l'Épouvanteur, avait appris à ses dépens que le livre saint et les cierges étaient insuffisants pour combattre l'obscur. Y ajouter des sonneries de cloches n'avait servi à rien.

Je me rendis compte que mon maître s'était facilité la tâche et avait rendu la mienne fort malaisée. J'arpentai longtemps les rues étroites de Priestown et celles, plus importantes, qu'elles reliaient. Je parcourus l'avenue Fylde de haut en bas, puis une autre, plus large, appelée l'Arc de Friar, sans y découvrir d'ailleurs le moindre arc. Les artères fourmillaient de gens pressés. Le grand marché, situé en haut de l'Arc de Friar, allait fermer, mais quelques clients négociaient encore avec les boutiquiers. Ça empestait le poisson, et les mouettes affamées criaillaient au-dessus de la foule.

Chaque fois qu'une silhouette en soutane noire surgissait, j'obliquais ou je changeais de trottoir. Le nombre de prêtres dans cette ville me stupéfiait.

Je descendis ensuite la rue des Pêcheurs, jusqu'à ce que j'aperçoive la rivière en contrebas. Je refis le chemin en sens inverse. Je décrivis un cercle complet en empruntant chaque ruelle, sans succès. Je ne pouvais tout de même pas demander aux passants s'ils connaissaient une auberge dont le nom n'avait aucune connotation religieuse ; on m'aurait pris pour un fou. Et je ne devais surtout pas attirer l'attention. Même si je prenais soin de porter le gros sac de l'Épouvanteur dans la main droite, il attirait trop de regards curieux à mon goût.

Finalement, alors que le soir tombait, je dénichai un gîte assez près de la cathédrale, là où j'avais commencé ma recherche. C'était une petite auberge à l'enseigne du *Taureau Noir*.

Avant de devenir apprenti de l'Épouvanteur, je n'avais jamais logé à l'auberge, n'ayant pas eu l'occasion de séjourner loin de la ferme de mon père. Depuis, j'y avais passé peut-être une demi-douzaine de nuits, pas davantage. Nous étions pourtant souvent par monts et par vaux, parfois plusieurs jours d'affilée ; mais l'Épouvanteur préférait économiser et, à moins que le temps soit vraiment mauvais, il estimait que l'abri d'un arbre ou d'une vieille grange nous suffisait. Ce serait cependant la première fois que j'y dormirais seul, et, quand je poussai la porte, j'étais un peu nerveux.

L'étroite entrée donnait dans une vaste salle, mal éclairée par une unique lanterne. Elle était encombrée de tables et de chaises, toutes vides. Un comptoir en occupait le fond. Il s'en dégageait une odeur de vinaigre, dont je compris vite que c'était en fait celle de la bière qui avait imprégné le bois. Une petite cloche munie d'une ficelle pendait à droite du comptoir. Je l'agitai.

Une porte s'ouvrit, et un homme chauve apparut, essuyant ses grosses mains sur un tablier d'une propreté plus que douteuse.

– Je voudrais une chambre pour la nuit, dis-je.

Rapidement, j'ajoutai :

– Je resterai peut-être plus longtemps.

Il me regarda comme s'il venait de me trouver collé à la semelle de sa chaussure ; toutefois, quand je posai la pièce d'argent sur le comptoir, son visage prit une expression plus avenante.

– Désirez-vous souper, monsieur ? me demanda-t-il.

Je refusai d'un signe de tête : je devais jeûner. De toute façon, l'aspect de son tablier m'avait coupé l'appétit.

Cinq minutes plus tard, j'étais dans ma chambre et j'avais tourné la clé dans la serrure. Le lit n'avait pas été fait, les draps étaient sales. L'Épouvanteur, lui, se serait plaint, mais j'avais trop besoin de dormir, et c'était mieux qu'une grange ouverte à tous les vents. La vue que j'avais depuis la fenêtre me fit néanmoins regretter ma chambre de Chipenden. Au lieu d'un sentier de graviers blancs traversant une verte pelouse et un paysage de collines, je n'avais sous les yeux qu'une sinistre rangée de maisons, dont les cheminées crachaient une fumée noire qui retombait en tourbillons dans la ruelle.

Épuisé, je m'étendis sur le lit et, sans lâcher la poignée du sac de l'Épouvanteur, je m'endormis presque aussitôt.

Huit heures venaient à peine de sonner, le lendemain matin, que je marchais déjà vers la cathédrale. Le sac était resté dans la chambre, car il aurait paru bizarre que je m'en encombre à une cérémonie de funérailles. J'étais un peu inquiet de le laisser à l'auberge ; cependant, il était muni d'une serrure, de même que la porte de la chambre, et les deux clés étaient en sécurité au fond de ma poche.

J'avais également une troisième clé. L'Épouvanteur me l'avait donnée quand j'étais allé à Horshaw pour m'occuper de l'éventreur. Elle avait été fabriquée par son autre frère, Andrew le serrurier, et elle ouvrait la plupart des fermetures, cadenas et verrous pourvu que leur mécanisme ne soit pas trop complexe. J'aurais pu la rendre à mon maître, mais, sachant qu'il en possédait plusieurs, et puisqu'il ne me l'avait pas réclamée, je l'avais conservée. Elle pouvait m'être utile, comme l'était le briquet à amadou que mon père m'avait offert quand j'étais parti en apprentissage. Il avait appartenu à son père, c'était un objet de famille. Je ne m'en séparais jamais.

Je suivis une rue pentue ; je voyais le clocher de la cathédrale à ma gauche. Le temps était humide, une bruine serrée me mouillait le visage. J'avais eu raison à propos du clocher : son sommet disparaissait dans les nuages, d'un gris sombre, venus du sud-ouest. Une odeur de suie emplissait l'air, car le vent rabattait la fumée crachée par les cheminées.

Des gens se pressaient dans la même direction. Une femme me dépassa, qui tirait par la main deux bambins, les obligeant à courir plus vite que leurs petites jambes le leur permettaient.

— Allez ! Dépêchez-vous ! les harcelait-elle. On va tout manquer !

Un instant, je me demandai s'ils se rendaient eux aussi aux funérailles, mais cela me parut peu probable, tant ils paraissaient excités.

J'arrivai sur un terre-plein et pris à gauche. Une foule agitée, massée des deux côtés de la rue, bloquait le passage. Je me faufilai de mon mieux, sans cesser de m'excuser, tâchant de ne pas écraser trop de pieds. L'affluence était telle que je fus contraint de m'arrêter et d'attendre avec tout le monde.

Je n'eus pas à patienter longtemps. Des applaudissements et des cris s'élevèrent soudain à ma droite, ainsi qu'un martèlement de sabots sur les pavés. Une procession montait vers la cathédrale. En tête, deux soldats vêtus de noir, une épée leur battant la hanche, caracolaient sur leurs chevaux. D'autres cavaliers les suivaient, ceux-là armés de dagues et de matraques. J'en comptai dix, vingt, cinquante. Enfin, un homme apparut, seul, chevauchant un immense étalon blanc.

Il portait un manteau noir par-dessus une cotte de mailles de grand prix. Le pommeau de son épée était incrusté de rubis. Ses bottes étaient en cuir le

71

plus fin, et coûtaient sans doute largement ce que gagnait un fermier en une année de labeur.

Les vêtements de ce cavalier le désignaient comme un personnage important. Mais aurait-il été habillé de haillons qu'on ne se serait pas trompé sur son rang. Ses cheveux d'un blond très clair s'échappaient d'un chapeau rouge à large bord, et ses yeux étaient d'un bleu à faire pâlir de honte un ciel d'été. Son visage me fascinait, presque trop beau pour être celui d'un homme, et pourtant plein de force, avec un menton saillant et un front impérieux. Puis j'observai de nouveau ses yeux, et j'y perçus la flamme brûlante de la cruauté.

Il me rappelait un chevalier qui était passé un jour près de notre ferme, quand j'étais enfant. Il avait à peine daigné nous jeter un regard. Pour lui, nous n'existions pas. C'est ce que mon père avait dit. Il avait précisé que c'était un noble, qu'on devinait rien qu'à son apparence que sa famille descendait d'ancêtres tout aussi nobles, riches et puissants.

En prononçant le mot « noble », mon père avait craché dans la boue, ajoutant que j'avais de la chance d'être fils de fermier, avec une honnête journée de travail devant moi.

L'homme chevauchant dans Priestown était un noble, cela ne faisait aucun doute. L'arrogance et l'autorité étaient inscrites sur son visage. Consterné, je compris qu'il s'agissait de l'Inquisiteur, car derrière lui venait une charrette tirée par deux chevaux de trait, transportant des gens debout, chargés de chaînes.

La plupart étaient des femmes, mais il y avait également deux hommes. Il était clair qu'ils n'avaient pas mangé à leur faim depuis longtemps. Leurs vêtements étaient en loques, et tous portaient des traces de coups. Ils étaient couverts d'hématomes ; l'œil gauche d'une des femmes avait l'aspect d'une tomate écrasée. Certaines pleuraient, l'une d'elles ne cessait de crier d'une voix suraiguë qu'elle était innocente. Mais c'était sans espoir, ces captifs seraient bientôt jugés et condamnés au bûcher.

Une jeune demoiselle se précipita soudain vers la charrette, tendant fébrilement une pomme à l'un des hommes. Sans doute une parente ; sa fille, peut-être.

À mon grand effroi, l'Inquisiteur fit virer sa monture et renversa l'imprudente, qui tomba sous les sabots du cheval. Une seconde avant, elle était là, avec sa pomme. À présent, elle était couchée sur les pavés, hurlant de douleur. Une cruelle expression de plaisir apparut sur la face du cavalier. La charrette continua son chemin en brinquebalant, escortée par d'autres cavaliers en armes, et les hourras de la foule se changèrent en injures et en cris de haine :

– Qu'on les brûle tous !

Je distinguai alors dans le groupe des prisonniers une fille blême de terreur. Elle était à peine plus âgée que moi. Ses longs cheveux noirs collaient à son visage, trempés par la pluie qui lui dégoulinait le long du nez et gouttait de son menton comme des larmes. J'observai sa robe noire, ses souliers pointus ; je ne pouvais en croire mes yeux.

C'était Alice ! Elle était aux mains du Grand Inquisiteur.

5

Les funérailles

La tête me tourna, et je titubai. Alice !
Je ne l'avais pas revue depuis plusieurs mois.
Sa tante, Lizzie l'Osseuse, était une sorcière qui
nous avait causé bien des ennuis. Mais Alice, à la
différence des autres membres de sa famille, n'était
pas malfaisante. En vérité, nous avions été bien
près de devenir amis, tous les deux, et c'était grâce à
elle si, quelques mois auparavant, j'avais pu détruire
Mère Malkin, la sorcière la plus pernicieuse qui eût
jamais sévi dans le Comté.

Non, le seul tort d'Alice était d'avoir grandi en
mauvaise compagnie. Elle ne méritait pas d'être
brûlée comme sorcière. Je devais trouver un moyen
de la tirer de là ! Lequel ?

À cet instant, je n'aurais su le dire. Dès la fin de l'enterrement, je tâcherais de persuader mon maître de m'aider.

Et l'Inquisiteur était là ! Par quel terrible coup du sort notre visite à Priestown coïncidait-elle avec son arrivée ? Nous étions en grand danger, et l'Épouvanteur ne voudrait sans doute pas prolonger son séjour après les funérailles. Une part de moi espérait qu'il quitterait la ville sans affronter le Fléau. Pourtant, je n'avais pas le droit d'abandonner Alice à une mort si cruelle.

Quand la charrette et son escorte furent passées, la populace se rua à leur suite. Pressé comme je l'étais dans cette cohue, je fus bien obligé de me laisser emporter par le flot.

Ayant longé la cathédrale, la charrette s'arrêta devant une grande bâtisse à deux étages ornée de fenêtres à meneaux. Je supposai qu'il s'agissait du presbytère, où demeuraient les prêtres, et que les prisonniers y seraient jugés. On les fit descendre de la charrette pour les traîner à l'intérieur. J'étais trop loin pour distinguer Alice parmi eux et, dans l'immédiat, je ne pouvais rien entreprendre. Il me faudrait pourtant trouver une idée avant qu'on les conduise au bûcher.

Je me détournai, le cœur lourd, et me frayai un chemin dans la foule pour atteindre la cathédrale et assister à l'enterrement du père Gregory.

Le monument possédait de puissants arcs-boutants et de hauts vitraux en ogive. Me souvenant des paroles de l'Épouvanteur, je levai les yeux vers la gargouille qui surplombait le grand portail.

Elle représentait le Fléau tel qu'il était à l'origine, et c'était cette apparence qu'il s'efforçait de reprendre en restaurant ses forces dans les profondeurs des catacombes. Son corps écailleux était accroupi, ses serres griffues cramponnées au linteau de pierre, tous ses muscles saillant comme si la créature s'apprêtait à bondir.

J'avais déjà vu des choses terrifiantes ces derniers temps, mais aucune n'était aussi laide que l'énorme tête du monstre. Son menton pointu s'incurvait comme s'il cherchait à rejoindre son long nez crochu, et ses petits yeux vicieux semblaient me suivre du regard tandis que j'approchais. Ses oreilles rappelaient celles d'un gros chien ou d'un loup. Rien qui donne envie de le rencontrer au détour d'une sombre galerie !

Je jetai un dernier regard vers le presbytère, me demandant s'il restait un espoir de sauver Alice. Puis j'entrai dans la cathédrale.

Elle était encore presque vide ; je n'eus donc aucun mal à choisir une place dans le fond. Non loin de moi, deux vieilles femmes priaient, à genoux, la tête baissée, et un enfant de chœur allumait des cierges.

J'avais tout le loisir d'examiner les lieux. Le bâtiment paraissait encore plus vaste vu de l'intérieur, avec ses hautes voûtes et ses arceaux de pierre. Les échos de la plus petite toux y résonnaient longuement. La nef centrale, qui menait aux marches de l'autel, était assez large pour laisser passer un attelage. L'ensemble donnait une impression de magnificence : chaque statue était dorée à la feuille d'or, les murs étaient recouverts de marbre. Quel contraste avec la misérable église de Horshaw, dont le frère de l'Épouvanteur avait eu la charge !

En haut de la travée centrale, le cercueil du père Gregory attendait, ouvert, un cierge brûlant à chaque coin. Jamais je n'avais vu de pareils cierges. Plantés dans de gigantesques chandeliers, ils avaient la taille d'un homme.

Les fidèles commençaient à arriver et, comme moi, s'installaient sur les bancs du fond. Je guettais mon maître, qui ne se montrait pas.

Je ne pouvais m'empêcher de jeter des coups d'œil à droite et à gauche, à l'affût d'un signe du Fléau. Je ne sentais pas sa présence, mais une créature aussi puissante était sûrement capable de percevoir la mienne. Et si les rumeurs étaient vraies ? S'il avait la capacité de prendre une apparence humaine et se tenait là, assis quelque part dans l'assistance ? Je regardai nerveusement autour de moi, puis me détendis en me souvenant des explications de l'Épouvanteur : le Fléau étant enfermé dans les catacombes, j'étais en sécurité pour le moment.

Quoique... Son esprit – mon maître l'avait dit également – ne pénétrait-il pas dans le presbytère ou la cathédrale pour corrompre les prêtres ? À cet instant même, il tentait peut-être de s'introduire dans ma tête !

Je levai les yeux, horrifié, et croisai le regard d'une femme qui allait s'asseoir après s'être recueillie devant la dépouille du père Gregory. Je la reconnus : c'était sa gouvernante. Elle me reconnut elle aussi et s'approcha de mon banc.

– Pourquoi étais-tu tellement en retard ? me reprocha-t-elle dans un chuchotement. Si tu étais venu dès que je t'avais envoyé chercher, il serait vivant, aujourd'hui.

– J'ai fait de mon mieux, répondis-je, tâchant de ne pas attirer l'attention sur nous.

– Alors, c'est que ton mieux n'était pas assez bon. L'Inquisiteur a raison : les gens de votre espèce n'apportent que le désordre ! Vous méritez le châtiment qu'il vous réserve !

À la mention de l'Inquisiteur, je tressaillis. Nous fûmes alors interrompus par l'apparition d'une file d'hommes vêtus de soutanes et de manteaux noirs. Des prêtres ! Des dizaines de prêtres ! Je n'aurais pu imaginer en voir un jour autant à la fois. À croire que tout le clergé du pays s'était rassemblé pour célébrer les funérailles du vieux père Gregory.

La femme n'ajouta rien et rejoignit son banc.

À présent, j'avais vraiment peur. J'étais assis là, dans la cathédrale, juste au-dessus des catacombes qui abritaient la plus effroyable créature du Comté, tandis que l'Inquisiteur paradait en ville. Et quelqu'un m'avait reconnu ! J'aurais voulu être à mille lieues de cet endroit maudit, et j'attendais anxieusement mon maître, qui n'arrivait toujours pas.

J'étais sur le point de m'en aller quand les battants du grand portail s'ouvrirent avec fracas, laissant entrer une longue procession. Il était trop tard pour m'éclipser.

Je crus d'abord que l'homme qui marchait en tête était l'Inquisiteur, car il avait la même allure. Puis, m'apercevant qu'il était plus vieux, je devinai qu'il s'agissait de l'archevêque de Priestown, son oncle.

La cérémonie commença. Il y avait beaucoup de chants ; nous étions obligés de nous lever, de nous asseoir, de nous agenouiller à tout bout de champ. Si au moins la liturgie avait été en grec, j'aurais pu la suivre, puisque ma mère m'avait enseigné cette langue dès mon plus jeune âge. Or, l'office était en latin. Je n'en saisissais que des bribes, et je pris conscience que je devrais travailler dur pour progresser.

L'archevêque prononça un sermon, affirmant que le père Gregory était au ciel, qu'il avait mérité cette récompense après le bon travail qu'il avait accompli ici-bas. Je fus surpris que le prélat ne fasse aucune allusion à la façon dont il était mort, mais supposai que les prêtres préféraient garder la chose secrète. Il leur était probablement difficile d'admettre que les exorcismes avaient échoué.

Au bout d'une heure, le service funèbre s'acheva, et la procession quitta l'église. Six prêtres portaient le cercueil. Derrière eux venaient quatre autres prêtres, chancelant sous le poids des cierges. Lorsque le dernier passa, je remarquai que la base des lourds chandeliers de cuivre était triangulaire. Sur chacune des trois faces du triangle était gravée une image de la gargouille, identique à celle dominant le portail. Il me sembla de nouveau que la créature ne me lâchait pas des yeux : sans doute était-ce un effet d'optique, dû à la lumière mouvante du cierge.

Une double file de prêtres s'avança, suivie par le reste de l'assistance. Je ne bougeai pas de ma place, craignant de croiser de nouveau la gouvernante du père Gregory.

Je ne savais quel parti prendre. Je n'avais pas vu l'Épouvanteur ; je n'avais pas la moindre idée de l'endroit où il pouvait être, ni de la façon de le retrouver. J'ignorais comment le prévenir de la présence de l'Inquisiteur et de celle de la femme de Horshaw.

Lorsque je me décidai à sortir, la pluie avait cessé, et la place était déserte. La queue de la procession disparaissait à l'arrière de la cathédrale, où se situait probablement le cimetière.

Je choisis de partir dans le sens opposé et franchis le portail. Une fois dans la rue, j'eus un choc : plantées au milieu de la chaussée, je vis deux personnes en pleine altercation. Plus exactement, l'une d'elles, un prêtre au visage rougeaud, qui avait une main bandée, fulminait contre son interlocuteur, lequel était l'Épouvanteur.

Tous deux remarquèrent ma présence. D'un signe du pouce, mon maître m'ordonna de m'éloigner. J'obéis, et il prit la même direction que moi, en restant de l'autre côté de la rue. Le prêtre lui lança :

– Réfléchis bien, John, avant qu'il ne soit trop tard !

Je risquai un coup d'œil par-dessus mon épaule et constatai qu'il ne nous suivait pas, mais il me sembla qu'il me fixait. N'était-ce qu'une impression ? Il me paraissait soudain plus intéressé par moi que par l'Épouvanteur.

Nous marchâmes pendant quelques minutes sans rencontrer grand monde. En bas de la butte, les rues devenaient plus étroites et plus animées. Après avoir obliqué à plusieurs reprises, nous arrivâmes au marché. Il était installé sur une place où s'alignaient des échoppes de bois protégées par des auvents de toile. Je ne quittai pas mon maître des yeux, de crainte de me perdre dans la cohue.

À l'extrémité nord du marché, l'Épouvanteur s'avança vers une grande taverne. Je crus qu'il allait entrer dans la salle pour commander un repas. S'il avait l'intention de quitter la ville à cause de l'Inquisiteur, il n'était plus nécessaire de jeûner. Au lieu de cela, il tourna dans une étroite impasse pavée, me conduisit jusqu'à un muret de pierres et en essuya le rebord mouillé avec sa manche. Il s'assit et me fit signe d'en faire autant.

L'impasse était déserte ; de hauts murs d'entrepôt nous surplombaient sur trois côtés. Les rares fenêtres donnant sur la ruelle étaient tout encrassées ; nous ne risquions pas d'être épiés par des regards trop curieux.

Notre marche rapide avait essoufflé l'Épouvanteur, ce qui me donna l'occasion de parler le premier :

– L'Inquisiteur est là !

Il hocha la tête :

– Oui, petit. J'étais sur le trottoir d'en face quand il est passé, mais tu étais trop occupé à observer cette charrette pour me remarquer.

– Alors, vous l'avez vue ? Alice était dans la charrette, et...

– Alice ? Quelle Alice ?

– La nièce de Lizzie l'Osseuse. Il faut la secourir !

L'Épouvanteur connaissait Lizzie l'Osseuse : il l'avait emprisonnée au fond d'une fosse, dans son jardin de Chipenden, au printemps dernier.

– Oh, cette fille ! Je te conseille de l'oublier, petit, car il n'y a rien que nous puissions faire pour elle. L'Inquisiteur est accompagné d'une cinquantaine d'hommes en armes.

– Ce n'est pas juste ! protestai-je, indigné qu'il puisse en parler aussi sereinement. Alice n'est pas une sorcière !

– Peu de choses sont justes en cette vie, me répliqua-t-il. La vérité, c'est qu'aucune de ces captives n'est coupable de sorcellerie. Tu te doutes bien qu'une sorcière authentique aurait détecté la présence de l'Inquisiteur à des lieues à la ronde et ne se serait pas fait prendre.

– Mais Alice est mon amie. Je ne veux pas qu'elle meure ! m'écriai-je, sentant monter ma colère.

– Il n'y a pas de place pour les sentiments dans notre travail. Nous sommes censés protéger les gens de l'obscur, sans nous laisser distraire par les jolies filles.

J'étais d'autant plus furieux que – je le savais pertinemment – mon maître s'était laissé séduire par une jolie fille qui, de surcroît, était sorcière !

– Alice m'a aidé à sauver ma famille des maléfices de Mère Malkin. Rappelez-vous !

– Et pourquoi Mère Malkin avait-elle été libérée, tu peux me le dire ?

Je baissai la tête, honteux.

– Parce que cette demoiselle t'avait embobiné ! continua-t-il. Pas question qu'une telle chose se reproduise, surtout ici, à Priestown, avec l'Inquisiteur sur nos talons ! Tu mettrais ta vie en danger, ainsi que la mienne. Et ne parle pas si fort, s'il te plaît ! Inutile d'attirer l'attention !

Je jetai un coup d'œil alentour : à part nous, il n'y avait personne. Au-delà du marché, j'apercevais des toits et, très haut au-dessus des cheminées, la flèche de la cathédrale. Pourtant je baissai la voix :

– Quoi qu'il en soit, que fait ici l'Inquisiteur ? Vous disiez qu'il sévissait dans le sud du pays et ne venait que lorsqu'on l'envoyait chercher.

– C'est habituellement le cas. Il lui arrive cependant de mener une expédition vers le nord du Comté, et même plus loin. Ces dernières semaines, il a, paraît-il, écumé la côte, ramassant ces malheureux débris d'humanité que tu as vus enchaînés dans la charrette.

L'entendre traiter Alice de « débris d'humanité » me mit hors de moi. Toutefois, le moment étant malvenu d'entamer une dispute, je me contins.

– À Chipenden, nous serons en sécurité, poursuivit-il. Il ne s'est encore jamais aventuré dans les collines.

– Nous retournons à la maison, alors ?

– Non, petit. Pas tout de suite. Je te l'ai déjà expliqué, j'ai un travail à terminer.

Mon cœur flancha, et je lançai vers l'entrée de l'impasse un regard soupçonneux. Des passants allaient à leurs affaires ; on entendait les cris des marchands vantant leurs produits. Dieu merci, en dépit de toute cette agitation, nous étions hors de vue. Cependant, j'étais fort mal à l'aise. Nous étions supposés garder nos distances. Or, le prêtre, dans la rue, avait parlé à l'Épouvanteur. La femme de Horshaw m'avait repéré. Qu'arriverait-il si quelqu'un d'autre nous remarquait et que nous soyons arrêtés ? Bien des curés de paroisses voisines pouvaient être en ville, et ils connaissaient mon maître de vue. La seule chose qui me rassurait un peu, c'était de savoir qu'à cet instant ils devaient être rassemblés au cimetière.

– Ce prêtre avec qui vous discutiez, demandai-je, qui était-ce ? Ne dira-t-il pas à l'Inquisiteur que vous êtes ici ?

J'en étais à penser que nous ne serions plus à l'abri nulle part. Qu'est-ce qui empêcherait ce rougeaud énervé d'envoyer l'Inquisiteur à Chipenden ?

– De plus, ajoutai-je, la gouvernante de votre frère m'a parlé, avant l'enterrement. Elle était furieuse. Elle aussi peut très bien nous dénoncer !

J'étais de plus en plus persuadé que nous prenions un sérieux risque en restant à Priestown pendant que l'Inquisiteur s'y trouvait.

– Calme-toi, mon garçon ! La gouvernante ne dira rien à personne. Mon frère et elle n'étaient pas sans péché. Quant à ce prêtre...

Mon maître esquissa un sourire :

– Il s'appelle le père Cairns. Il est de ma famille. C'est un cousin, et un brave homme, même s'il se mêle parfois de ce qui ne le regarde pas et s'excite facilement. Il désire depuis toujours me « sauver » malgré moi et me ramener dans le « droit chemin ». Mais il perd sa salive. J'ai choisi ma voie et, à tort ou à raison, je continuerai de la suivre.

J'entendis alors des pas et je crus que le cœur me remontait dans la gorge. Quelqu'un était entré dans l'impasse et venait vers nous !

– Quand on parle de famille..., constata l'Épouvanteur le plus tranquillement du monde. Petit, je te présente mon frère, Andrew.

Un homme grand, maigre, avec un long visage osseux, s'approchait, ses pas sonnant sur les pavés. Il paraissait âgé et ressemblait à un épouvantail endimanché, car, s'il portait un costume propre et des bottes de bonne qualité, les pans de son vêtement mal ajusté flottaient au vent. Je songeai qu'il avait encore plus besoin que moi d'un copieux petit déjeuner.

Sans même prendre le soin d'essuyer le muret mouillé, il s'assit à côté de mon maître.

– J'étais sûr de te trouver ici, lui dit-il d'un air sombre. Quelle triste affaire !

– Oui, nous ne sommes plus que deux, à présent. Cinq frères morts !

– John, il faut que tu le saches : l'Inqui...

– Je sais, le coupa l'Épouvanteur, un brin d'impatience dans la voix.

– Alors, va-t'en ! Vous êtes en danger tous les deux, reprit-il en me saluant d'un signe de tête.

– Non, Andrew. Nous ne partirons pas tant que je n'aurai pas achevé ce que j'ai commencé. À ce propos, je voudrais que tu me fabriques une nouvelle clé. Pour le portail...

Andrew se raidit :

– Non, John ! Ne commets pas cette folie ! Je ne serais pas venu si j'avais su que tu me demanderais ça. Aurais-tu oublié la malédiction ?

– Tais-toi ! lui intima son frère. Pas devant le garçon ! Ne parle pas de ces stupides superstitions !

– Quelle malédiction ? m'exclamai-je, piqué par la curiosité.

– Tu vois ce que tu as fait ? siffla mon maître avec colère.

Se tournant vers moi, il déclara :

– Ce n'est rien. Je ne crois pas à ces bêtises, et toi non plus.

Andrew soupira :

– Je viens d'enterrer un frère aujourd'hui. Retourne chez toi, John, avant que je sois obligé d'enterrer le dernier ! L'Inquisiteur aimerait beaucoup mettre la main sur l'Épouvanteur du Comté. Regagne Chipenden tant qu'il en est encore temps !

– Je reste, Andrew. Un point, c'est tout ! déclara mon maître avec fermeté. Un travail m'attend, Inquisiteur ou pas. Alors, vas-tu m'aider ?

– Là n'est pas le problème, et tu le sais. Ne t'ai-je pas toujours aidé ? T'ai-je une seule fois manqué de parole ? Mais c'est de la folie ! Tu risques de finir sur le bûcher si tu t'attardes en ville. Ce n'est pas le moment de t'attaquer à cette tâche.

D'un grand geste du bras, il désigna le clocher au loin :

– Et pense au garçon ! Tu n'as pas le droit de l'entraîner là-dedans. Pas maintenant ! Reviens au printemps, lorsque l'Inquisiteur sera parti, et nous en reparlerons. Vu les circonstances, tenter quoi que ce soit serait insensé. Tu ne peux pas affronter à la fois le Fléau *et* l'Inquisiteur ! Tu n'es plus un jeune homme et, à en juger par ta mine, tu n'es pas au mieux de ta forme.

Je regardai à mon tour vers le clocher. On devait le voir de n'importe quel quartier et, d'en haut, découvrir la ville entière. Il y avait quatre petites fenêtres au sommet, juste sous la croix. De là, on pouvait sûrement compter tous les toits de Priestow, surveiller les rues et les gens, nous compris.

Je frissonnai à l'idée qu'un prêtre était peut-être là-haut et que le Fléau, ayant pénétré son esprit, nous observait par ses yeux, dissimulé dans l'ombre.

Pourtant, mon maître n'avait pas l'intention de changer ses plans :

– Allons, Andrew, réfléchis ! Combien de fois m'as-tu dit que l'obscur prenait possession de cette ville, que la corruption touchait de nombreux prêtres, et que la population vivait dans la peur ? Et la dîme qui a été doublée ? Et l'Inquisiteur qui brûle des femmes sans défense et spolie ses victimes ? Quelle force démoniaque pousse des hommes qui furent bons à infliger de telles souffrances à leurs semblables et convainc de braves gens à accepter ces atrocités, voire à les encourager ? Aujourd'hui, Tom a reconnu une amie à lui dans la charrette qui la conduisait à une mort certaine. Oui, tout cela est la faute du Fléau, et il faut mettre un terme à ses agissements. Crois-tu vraiment que je pourrais laisser la situation empirer ne serait-ce que six mois de plus ? Combien d'innocents auront été brûlés d'ici là, combien de pauvres auront péri de faim et de froid si je n'agis pas ? Une rumeur court en ville : on entendrait des soupirs monter des catacombes. Si c'est vrai, cela signifie que le Fléau gagne en force et en pouvoir, et qu'il va redevenir une créature de chair. Bientôt, il aura retrouvé son apparence originelle, manifestation physique de l'esprit pervers qui tyrannisait autrefois le Petit Peuple. Comme il lui sera facile, alors, de manipuler n'importe qui et de se faire ouvrir le portail ! Et nous, où serons-nous ? Non, je le vois comme le nez au milieu de la figure : je dois débarrasser Priestown de l'obscur, avant que la puissance du Fléau ne soit trop grande. Aussi, je te le demande encore une fois : me fabriqueras-tu une clé ?

Le frère de l'Épouvanteur enfouit son visage dans ses mains, comme les vieilles femmes qui priaient à l'église. Enfin il se redressa et hocha la tête :

– J'ai gardé le moule. La clé sera prête demain matin à la première heure. Je dois être encore plus stupide que toi...

– C'est bien, dit l'Épouvanteur. Je savais que je pouvais compter sur toi. Je l'enverrai chercher à l'aube.

– J'espère que tu sais ce que tu fais en descendant là-dessous !

Une brusque colère empourpra le visage de mon maître :

– Occupe-toi de ton travail, frère, et laisse-moi accomplir le mien !

En entendant ces mots, Andrew se leva, poussa un soupir lourd de toute la misère du monde et s'éloigna sans un regard en arrière.

– Bon ! conclut l'Épouvanteur. Petit, tu pars le premier. Retourne à ton auberge et ne bouge pas de ta chambre jusqu'à demain. La boutique d'Andrew est dans l'Arc de Friar. J'irai y prendre la clé et je te retrouverai juste après l'aube. Il n'y aura pas grand monde dans les rues à cette heure. Te souviens-tu à quel endroit tu te tenais quand tu as vu passer l'Inquisiteur ?

Je fis signe que oui.

– Tu m'attendras au coin de la rue. Ne sois pas en retard ! Souviens-toi : nous devons continuer notre jeûne. Ah, surtout, n'oublie pas mon sac ! Nous en aurons besoin.

Sur le chemin de l'auberge, j'avais la tête en ébullition. Qu'est-ce qui me terrifiait le plus ? Un homme au pouvoir absolu qui m'enverrait griller sur un bûcher, ou une créature infernale qui avait vaincu mon maître autrefois et m'épiait peut-être à l'instant même du haut du clocher, à travers les yeux d'un prêtre ?

Mon attention fut soudain attirée par une soutane noire, non loin de moi. Je me détournai vivement : j'avais reconnu le père Cairns. Par chance, le trottoir était encombré ; il regardait devant lui et ne me remarqua pas. J'en fus soulagé, car, s'il m'avait vu ici, tout près de mon auberge, il ne lui aurait pas été difficile de découvrir où j'étais installé. Même si l'Épouvanteur m'avait rassuré à son sujet, je songeai que moins il y aurait de gens sachant qui et où nous étions, mieux cela vaudrait.

Mon soulagement fut de courte durée. Lorsque je montai à ma chambre, je trouvai un billet épinglé contre la porte :

Thomas,
Si tu veux sauver la vie de ton maître,
viens à mon confessionnal ce soir à sept heures.
Sinon, ce sera trop tard.
Père Cairns

Un affreux sentiment de malaise m'envahit. Comment avait-il su où je logeais ? Quelqu'un m'avait-il suivi ? La gouvernante du père Gregory ? L'aubergiste ? Le bonhomme ne m'avait pas plu. Avait-il envoyé un message à la cathédrale ? Était-ce le Fléau ? La créature surveillait-elle chacun de mes faits et gestes ? Avait-elle guidé le père Cairns jusqu'à moi ? Quelle que soit l'explication, un prêtre m'avait localisé, et, s'il parlait à l'Inquisiteur, je risquais d'être arrêté d'une minute à l'autre.

J'entrai en hâte dans ma chambre et verrouillai la porte derrière moi. Après quoi, je fermai les volets, espérant me dérober aux mille yeux fouineurs de Priestown. Je vérifiai si le sac de l'Épouvanteur était bien là où je l'avais laissé et m'assis sur mon lit, ne sachant que faire. Mon maître m'avait ordonné de ne pas bouger d'ici jusqu'au matin. Il n'apprécierait sûrement pas que je sorte pour rencontrer son cousin, « qui se mêlait toujours de ce qui ne le regardait pas ». Était-ce le cas ? Il avait déclaré aussi que c'était un brave homme. Et si ce prêtre savait vraiment quelle menace pesait sur M. Gregory ? Il finirait peut-être entre les mains de l'Inquisiteur, si je ne prenais pas d'initiative. D'un autre côté, si je me rendais à la cathédrale, j'allais droit au repaire de l'Inquisiteur et du Fléau ! Assister aux funérailles avait été déjà assez dangereux. Pouvais-je réellement m'aventurer là-bas encore une fois ?

La meilleure solution aurait été de porter ce message à l'Épouvanteur. Or, c'était impossible, pour une raison bien simple : j'ignorais où il était.

« Fie-toi à ton intuition ! » m'avait-il souvent recommandé. Je finis donc par me décider : j'irais parler au père Cairns.

6

Un pacte avec l'Enfer

Prenant tout mon temps, je remontai lentement la rue pavée qui menait à la cathédrale. J'avais les mains moites, et mes pieds ne semblaient se soulever qu'à regret, à croire qu'ils étaient plus sages que moi ! Je devais les forcer à avancer, un pas après l'autre. Par chance, la soirée était glaciale, il n'y avait presque personne dehors, et je ne croisai pas un seul prêtre.

J'arrivai à la cathédrale avec une dizaine de minutes d'avance. En traversant le vaste parvis, je ne pus m'empêcher de jeter un coup d'œil sur la gargouille. Sa tête hideuse me parut encore plus grosse que la première fois, et ses prunelles de pierre, animées d'une lueur mauvaise, me suivirent tandis que je montais vers le portail. Je remarquai la longue langue qui sortait de sa gueule et les deux courtes cornes pointant sur son crâne, un peu comme celles d'une chèvre. La créature ne ressemblait à rien de ce que j'avais pu voir jusque-là, et cette totale étrangeté me donnait le frisson.

Détournant le regard, j'entrai dans la cathédrale.

Lorsque mes yeux se furent accoutumés à la pénombre, je constatai à mon grand soulagement que l'endroit était pratiquement désert.

La peur ne me quitta pas pour autant. Je n'aimais pas être là, sachant que des prêtres pouvaient surgir n'importe quand. Si le père Cairns m'avait tendu un piège, j'y fonçais tête baissée. De plus, j'avais pénétré sur le territoire du Fléau, qui, dès le coucher du soleil, serait au sommet de sa malignité, comme toute créature de l'obscur. Son esprit, émergeant des catacombes, serait peut-être bientôt à mes trousses.

Je devais régler cette affaire au plus vite !

Où se trouvaient les confessionnaux ? Quelques vieilles femmes étaient dispersées dans la nef. Puis j'aperçus dans un bas-côté un homme agenouillé non loin d'une sorte de placard de bois. D'autres placards semblables étaient alignés le long du mur : c'était là ! Au-dessus de chacun d'eux, il y avait une chandelle, protégée par un globe de verre. Une seule était allumée.

Je m'approchai et m'assis sur un banc. Au bout d'un moment, la porte de bois du confessionnal s'ouvrit, et une femme voilée de noir en sortit. Elle traversa l'allée et s'agenouilla un peu plus loin, tandis que l'homme prenait sa place. D'où j'étais, je l'entendais marmonner.

Je ne m'étais jamais confessé de ma vie. J'avais cependant une vague idée de la façon dont ça se passait. Un de mes oncles était devenu très religieux, peu avant sa mort. Papa le surnommait « saint Joe ». Il se confessait deux fois par semaine. Après avoir entendu ses péchés, le prêtre lui donnait une pénitence : une liste de prières à réciter.

L'homme resta dans le confessionnal un temps qui me parut durer un siècle. Je m'impatientais. Une pensée se mit à me tourmenter : et si le prêtre enfermé là n'était pas le père Cairns ? Je devrais alors improviser une véritable confession pour ne pas éveiller ses soupçons. J'essayai de me rappeler quelques fautes à peu près convaincantes. La gourmandise était-elle un péché ? À moins que ça s'appelle la gloutonnerie ? Non, ce n'était pas crédible. Certes, j'aimais bien manger, mais je n'avais rien avalé depuis le matin, et mon ventre ne cessait de gargouiller. La folie de mon entreprise me frappa soudain. Dans quelques instants, je me retrouverais peut-être prisonnier !

Pris de panique, je me levai et m'apprêtai à partir. C'est alors que je remarquai une petite carte glissée dans une encoche, au-dessus de la porte. Un nom y était écrit : *Père Cairns*.

L'homme sortait, justement. Je pris donc sa place et tirai le battant de bois.

L'intérieur du confessionnal était étroit et sombre, et, lorsque je m'agenouillai, mon visage se trouva face à une grille métallique. De l'autre côté de la grille pendait un rideau brun. Je devinai la lumière d'une chandelle, au-delà. À travers la grille, je ne distinguai qu'un profil noir.

Une voix au fort accent du Comté demanda :

– Voulez-vous que j'entende votre confession ?

Je répondis d'un haussement d'épaules. Puis, réalisant que le prêtre ne pouvait me voir clairement, je chuchotai :

– Non, mon Père. Je suis Tom, l'apprenti de M. Gregory. Vous vouliez me parler ?

Il y eut un bref silence, puis le père Cairns souffla :

– Ah, Thomas ! Je suis content que tu sois venu. Ce que j'ai à te dire est extrêmement important, et je te demande de m'écouter jusqu'au bout. Peux-tu me promettre de ne pas t'en aller avant que j'aie fini ?

– Je vous écouterai, fis-je, circonspect.

Je me méfiais des promesses, depuis quelque temps. Au printemps, celle que j'avais faite à Alice m'avait entraîné dans une sale histoire.

– Tu es un brave garçon, reprit le prêtre. Nous entreprenons ensemble une tâche décisive. Sais-tu de quoi il s'agit ?

Était-ce une allusion au Fléau ? Supposant qu'il valait mieux ne pas prononcer le nom de la créature si près des catacombes, je répondis :

– Non, mon Père.

– Eh bien, Thomas, il nous faut établir un plan et trouver le moyen de sauver ton âme immortelle. Tu devines déjà par quoi commencer, n'est-ce pas ? Tu dois t'éloigner de John Gregory ; tu dois cesser de pratiquer ces viles activités.

Agacé, je répliquai :

– Je pensais que vous vouliez me voir pour aider M. Gregory. Je l'ai cru en danger.

– Il *est* en danger. Nous sommes ici, toi et moi, pour lui venir en aide. Mais il faut d'abord t'aider, toi ! Feras-tu ce que je te demande ?

– Je ne peux pas. Mon père paie cher pour mon apprentissage ; quant à ma mère, elle serait extrêmement déçue. Elle dit que j'ai un don et que je dois le mettre au service des gens. C'est aussi ce que dit l'Épouvanteur. Nous circulons dans ce Comté pour protéger ses habitants des êtres malfaisants qui surgissent de l'obscur.

Il y eut un long silence. Derrière le rideau, je n'entendais plus qu'un bruit de respiration. Puis je trouvai un autre argument :

– J'ai aidé le père Gregory, vous savez ! Je n'ai pas sauvé sa vie, c'est vrai. Je lui ai tout de même évité une mort autrement plus affreuse. Au moins s'est-il éteint en paix, dans son lit.

Haussant un peu la voix, je continuai :

– Il a tenté de se débarrasser d'un gobelin et s'est mis dans une fâcheuse posture. Mon maître aurait pu le tirer de là. Il a des pouvoirs que les prêtres ne possèdent pas. Eux ne peuvent venir à bout des gobelins parce qu'ils ignorent comment s'y prendre. Quelques prières n'y suffisent pas.

Je savais que je n'aurais pas dû parler ainsi de la prière ; je m'attendais à une explosion de colère. Or, le père Cairns ne s'emporta pas, et la situation me parut pire encore.

– Oh non, cela ne suffit pas ! acquiesça-t-il d'une voix si basse que j'eus peine à l'entendre. Mais connais-tu le secret de John Gregory, petit ? Connais-tu l'origine de son pouvoir ?

– Oui, dis-je, retrouvant un peu de calme. Il a étudié pendant des années, il a consacré sa vie au travail. Il possède une bibliothèque pleine de livres, il a été un apprenti, comme je le suis à présent ; il a écouté avec attention l'enseignement de son maître et tout noté dans son journal ; c'est aussi ce que je fais.

– Et c'est ce que nous faisons également, l'ignores-tu ? On ne devient prêtre qu'après de longues années d'études. Les prêtres sont des hommes intelligents, formés par des hommes encore plus intelligents. Comment donc as-tu réussi là où le père Gregory a échoué, alors qu'il s'appuyait sur la sainte Bible, qui contient la Parole de Dieu ? Comment expliques-tu que ton maître accomplit de façon naturelle ce que son frère n'a jamais su faire ?

– Parce que les prêtres ne reçoivent pas la formation adéquate. Et parce que mon maître et moi sommes les septièmes fils d'un septième fils.

J'entendis un curieux bruit derrière la grille. Je crus d'abord que le père Cairns s'étranglait. Puis je compris qu'il riait. Il se moquait de moi !

Je trouvai cette réaction grossière. Mon père m'a appris à respecter les opinions des autres, même lorsqu'elles me paraissait stupides.

– Ce n'est qu'une superstition, Thomas, dit le prêtre. Être le septième fils d'un septième fils ne signifie rien. C'est un conte de bonne femme. La véritable explication est si terrible que je frissonne à cette seule idée. Sache, petit, que John Gregory a fait un pacte avec l'Enfer. Il a vendu son âme au Diable.

Je n'en crus pas mes oreilles. J'ouvris la bouche, mais aucun mot n'en sortit, et je me contentai de secouer la tête.

– C'est la vérité, Thomas. Tous ses pouvoirs lui viennent du Diable. Ce que toi et les gens du pays appelez des gobelins sont des démons mineurs, qui ne sévissent que parce que leur Maître infernal le leur permet. Le Diable a donné à John Gregory autorité sur eux ; en retour, il prendra un jour possession de son âme. Or, une âme est précieuse pour Dieu, faite de lumière et de splendeur ; et le Diable n'a de cesse de la salir avec ses œuvres de péché, pour la tirer dans les flammes éternelles de l'Enfer.

La colère m'envahit.

— Et moi ? dis-je. Je n'ai vendu mon âme à personne. Pourtant, j'ai arraché le père Gregory à un gobelin.

— C'est simple, Thomas. Tu es un serviteur de l'Épouvanteur — comme tu le nommes —, qui, lui, est un serviteur du Diable. Tu bénéficies donc des appuis de l'Enfer lorsque tu travailles pour lui. Bien sûr, si tu termines ton apprentissage et que tu te prépares à poursuivre cette vile pratique en tant que maître, et non plus en tant qu'apprenti, alors, ce sera ton tour. Tu devras signer le pacte diabolique. John Gregory ne t'en a pas encore parlé à cause de ton jeune âge, mais il le fera. Et, quand ce moment sera venu, tu ne seras pas étonné, parce que tu te souviendras de mes paroles. John Gregory a commis de grandes fautes dans sa vie, il s'est écarté du chemin de la grâce. Sais-tu qu'il a été prêtre, autrefois ?

— Oui.

– Et sais-tu comment, à peine ordonné, il a trahi sa vocation ? Connais-tu son infamie ?

Je ne répondis rien. Le père Cairns allait me le dire, de toute façon.

– Selon certains théologiens, les femmes n'ont pas d'âme. Ce débat n'est pas clos, mais ce qui est sûr, c'est qu'un prêtre ne doit pas prendre femme. Cela le détournerait de sa dévotion envers Dieu. La faute de John Gregory est double : non seulement il s'est laissé attirer par une femme, mais celle-ci, une certaine Emily Burns, était fiancée à l'un de ses **frère**s. Ce scandale a déchiré la famille, dressant un frère contre un autre.

À cette minute, je pris le père Cairns en grippe. J'imaginais la réaction de ma mère si elle l'avait entendu suggérer que les femmes n'avaient pas d'âme ! Elle l'aurait écorché vif ! Malgré tout, ce qu'il avait dit de l'Épouvanteur excitait ma curiosité. J'étais déjà au courant de ses aventures avec Meg. Et voilà qu'auparavant il avait été lié à une Emily Burns ! J'étais stupéfait et fort désireux d'en apprendre davantage.

– M. Gregory a-t-il épousé Emily Burns ? demandai-je.

– Au regard de Dieu, jamais ! Elle était de Blackrod, d'où notre famille est originaire, et elle y vit encore aujourd'hui, seule. On prétend qu'ils se sont disputés. Quoi qu'il en soit, John Gregory épousa finalement une autre femme, qu'il avait rencontrée à l'extrême nord du Comté et ramenée dans le sud. Elle s'appelait Margery Skelton, et c'était une sorcière notoire. On la connaissait sous le nom de Meg, et, à l'époque, elle était crainte et détestée sur toutes les landes d'Anglezarke, ainsi que dans les villes et villages du sud du Comté.

Je ne fis aucun commentaire. Il s'attendait à ce que je me montre choqué. Je l'étais, en vérité, mais ce que j'avais lu dans le journal de l'Épouvanteur, à Chipenden, m'avait préparé au pire.

J'entendis le père Cairns renifler, tousser. Puis il poursuivit :

– Sais-tu auquel de ses six frères John Gregory a fait du tort ?

Je l'avais deviné.

– Au père Gregory, dis-je.

– Dans une famille pieuse comme l'était la famille Gregory, il est de tradition que l'un des fils reçoive les saints ordres. Lorsque John trahit sa vocation, un autre frère prit sa place et commença ses études pour devenir prêtre. Oui, Thomas, c'était le père Gregory, celui qui a été enterré aujourd'hui. Il avait perdu sa fiancée, et il avait perdu un frère. Que pouvait-il faire d'autre que se tourner vers Dieu ?

Quand j'étais arrivé à la cathédrale, elle était presque vide. Pourtant, tandis que nous parlions, je percevais une rumeur, à l'extérieur du confessionnal, des bruits de pas, des murmures de voix. Soudain, un chant s'éleva. Sept heures avaient dû sonner depuis un bon moment. Je décidai qu'il était temps de trouver un prétexte pour m'esquiver.

Or, avant que j'aie ouvert la bouche, le père Cairns s'agita.

– Viens avec moi, Thomas, dit-il. Je veux te montrer quelque chose.

Il ouvrit sa porte et sortit du confessionnal. Je me levai donc et le suivis.

Il me conduisit vers l'autel, de chaque côté duquel un chœur de jeunes garçons, vêtus de soutanes noires et de surplis blancs, était soigneusement aligné sur trois rangs.

Le père Cairns s'arrêta et, posant sa main bandée sur mon épaule, il murmura :

– Écoute-les, Thomas ! Ne croirait-on pas entendre des anges ?

N'ayant jamais entendu chanter un ange, je ne pouvais en juger, mais leurs voix étaient plus agréables que celle de mon père qui fredonne toujours quand la traite s'achève. Papa a une voix à faire tourner le lait !

– Tu aurais pu être un membre de ce chœur, Thomas. Malheureusement, il est trop tard, tu as commencé à muer.

Sur ce point, il avait raison. La plupart des garçons étaient plus jeunes que moi et avaient des timbres aigus de filles. De toute façon, je chantais aussi faux que mon père.

– Il y a cependant d'autres choses que tu peux encore faire. Viens... !

Il me mena derrière l'autel, me fit franchir une porte, longer un corridor et sortir dans le jardin attenant à la cathédrale. En vérité, ses dimensions étaient plutôt celles d'un champ, et des légumes y poussaient, en lieu et place de fleurs et de rosiers.

Il commençait à faire sombre ; on y voyait cependant assez pour que je distingue une haie d'aubépine, au fond, et au-delà les pierres tombales du cimetière. Non loin de nous, un prêtre était agenouillé, un semoir à la main. C'était un bien petit semoir pour un aussi grand potager !

– Tu viens d'une lignée de fermiers, Thomas. C'est un bon et honnête métier. Tu te sentiras chez toi en travaillant ici, déclara-t-il en désignant le jardinier du doigt.

Je secouai la tête.

– Je ne désire pas devenir prêtre, dis-je d'un ton ferme.

– Oh, jamais tu ne pourras l'être ! se récria le père Cairns, indigné. Tu as été trop proche du Diable pour cela, et on devra te surveiller de près jusqu'à la fin de tes jours, de peur que tu retombes sous son pouvoir. Non, cet homme est un frère.

– Un frère ? répétai-je, étonné, me demandant si c'était quelqu'un de sa famille.

Le prêtre sourit :

– Dans une grande cathédrale comme celle-ci, les prêtres ont des assistants. Nous les appelons des frères, car, bien qu'ils administrent certains sacrements, ils se chargent d'autres besognes, plus matérielles, et font partie de la grande famille de l'Église. Frère Peter est notre jardinier, et il excelle à cette tâche. Qu'en dis-tu, Thomas ? Aimerais-tu devenir un frère ?

Étant le plus jeune d'une fratrie de sept, j'avais assuré tous les sales boulots dont personne ne voulait. Ça avait l'air d'être la même chose ici. De plus, j'avais déjà un métier, et je ne croyais pas un mot de ce que le père Cairns m'avait raconté sur les relations de l'Épouvanteur avec le Diable. Son histoire m'avait bien un peu ébranlé, mais, au fond de moi, je savais que ce ne n'était pas vrai. Mon maître était un homme bon.

Il faisait de plus en plus sombre et de plus en plus froid ; je décidai donc que le moment était venu de prendre congé.

– Merci pour cette conversation, mon Père, fis-je. Pourriez-vous me dire à présent, s'il vous plaît, quel danger menace M. Gregory ?

– Chaque chose en son temps, Thomas, répondit-il avec un petit sourire.

Remarquant son air matois, j'eus le sentiment d'avoir été berné. Le père Cairns n'avait eu aucune intention de venir en aide à l'Épouvanteur.

– Je vais réfléchir à votre proposition, repris-je. Pour l'heure, il faut que je m'en aille, sinon, je vais rater le souper.

Je pensais avoir trouvé une bonne excuse. Il n'était pas censé savoir que je jeûnais afin de me préparer à affronter le Fléau.

– Tu souperas avec nous, Thomas. En fait, nous souhaitons que tu passes la nuit ici.

Deux autres prêtres venaient de surgir par la petite porte de côté et s'avançaient vers nous. C'étaient des costauds, et je n'aimais pas l'expression de leur visage.

Pendant une seconde, j'aurais sans doute eu la possibilité de partir en courant. Mais il me parut stupide de m'enfuir avant d'apprendre ce qui allait se passer. L'instant d'après, il était trop tard. Les deux prêtres m'avaient encadré, chacun m'ayant empoigné fermement par un bras et par une épaule. Je ne résistai pas, parce que ça n'aurait servi à rien. Ils avaient de grosses mains si lourdes que, s'ils m'avaient maintenu trop longtemps à la même place, j'aurais commencé, me semblait-il, à m'enfoncer dans le sol. Ils m'emmenèrent dans la sacristie.

– C'est pour ton bien, Thomas, m'assura le père Cairns en entrant derrière nous. L'Inquisiteur va arrêter John Gregory ce soir. Il aura droit à un procès, évidemment. Cela dit, l'issue en est certaine. Il sera reconnu coupable de commerce avec le Diable et condamné au bûcher. C'est pourquoi je t'empêcherai de le rejoindre. Toi, il te reste une chance. Tu n'es qu'un enfant, dont l'âme peut être sauvée sans qu'il soit nécessaire de te brûler. Si on te prenait avec lui au moment de son arrestation, tu subirais le même sort. Je te le répète, j'agis pour ton bien.

– Mais c'est votre cousin ! explosai-je. Un membre de votre famille ! Comment pouvez-vous accepter une chose pareille ? Laissez-moi l'avertir !

– L'avertir ? Crois-tu que je ne l'aie pas fait ? Depuis des années je ne cesse de le mettre en garde. Maintenant, je dois songer à son âme avant de m'inquiéter de son corps. Les flammes le purifieront. L'épreuve de la douleur le sauvera. Ne vois-tu pas, Thomas, que c'est pour moi la seule façon de l'aider ? Notre salut éternel n'est-il pas plus important que ce bref passage en ce monde ?

– Vous l'avez trahi ! Lui, quelqu'un de votre propre sang ! Vous avez révélé notre présence ici à l'Inquisiteur !

– Seulement celle de John. Rejoins-nous, Thomas ! Ton âme sera lavée par la prière, et ta vie ne sera plus en danger. Qu'en dis-tu ?

Il n'y avait pas de discussion possible avec un

homme à ce point assuré de détenir la vérité, aussi ne gaspillai-je pas ma salive. Je me tus.

On n'entendit plus que l'écho de nos pas et un cliquetis de clés, tandis que les prêtres m'entraînaient dans les profondeurs obscures de la cathédrale.

7

Fuite et capture

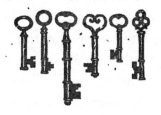

O n m'enferma dans un réduit humide et
dépourvu de fenêtre sans qu'il soit question
du souper annoncé. Un tas de paille servait de lit.
Lorsque la porte se referma derrière moi, je restai
debout dans le noir ; la clé tourna dans la serrure, et
les pas s'éloignèrent dans le corridor.

Il faisait si sombre que je ne voyais pas mes
mains levées devant mon visage. Cela ne me tourmentait guère : après six mois d'apprentissage aux
côtés de l'Épouvanteur, j'étais moins froussard.
Étant le septième fils d'un septième fils, j'avais toujours été réceptif à des phénomènes que les autres
ne percevaient pas ; mais mon maître m'avait appris
que la plupart ne recelaient aucun danger. La

cathédrale était très ancienne, et le cimetière jouxtait le jardin, ce qui signifiait que des âmes en peine, spectres ou fantômes, devaient y errer ; cela non plus ne m'effrayait pas.

Non, ce qui me troublait, c'était la présence du Fléau, en dessous, dans les catacombes ! La simple idée qu'il puisse chercher à pénétrer mon esprit me terrifiait. Je ne voulais en aucun cas affronter cette créature. Or, s'il était aujourd'hui aussi puissant que l'Épouvanteur le suspectait, il suivait sans doute le déroulement des événements. Il avait probablement corrompu le père Cairns pour le dresser contre son cousin. Il savait qui j'étais et où je me trouvais, et n'avait aucune raison de se montrer amical.

Bien sûr, je n'avais pas l'intention de rester coincé là toute la nuit. Je comptais utiliser l'une des trois clés enfouies au fond de ma poche, le passe-partout fabriqué par Andrew. Le père Cairns n'était pas le seul à garder une carte dans sa manche.

Cette clé me ramènerait dans le corridor et m'ouvrirait n'importe quelle serrure dans la cathé-drale. Il me suffisait d'attendre que tout le monde soit endormi ; ensuite, je me risquerais hors de ma cellule. Je n'avais cependant pas droit à l'erreur quant au moment de mon évasion : trop tôt, je me ferais prendre ; trop tard, je n'avertirais pas mon maître à temps et, qui sait, recevrais en prime une visite du Fléau.

Aucun son ne me parvenant plus du dehors, je me décidai. La serrure n'opposa pas de résistance, mais, juste avant de pousser le battant, j'entendis des pas. Je me figeai, retenant mon souffle. Peu à peu, le bruit s'éloigna et le silence revint.

Je patientai une longue minute, l'oreille tendue. Enfin, j'expirai lentement et ouvris la porte. Par chance, elle pivota sur ses gonds en silence. J'avançai dans le corridor, m'arrêtant régulièrement pour écouter.

Y avait-il encore quelqu'un dans la cathédrale ou les bâtiments attenants ? Même si, à cette heure, les prêtres avaient regagné le grand presbytère, je doutais que l'endroit soit ainsi laissé sans surveillance. Je marchai donc sur la pointe des pieds, craignant que le plus petit bruit révèle ma présence.

Lorsque j'arrivai devant la porte donnant sur l'extérieur, j'eus un choc : je n'avais pas besoin de ma clé, le battant était ouvert.

Le ciel était clair, et la lune baignait les allées d'une lumière d'argent. Je sortis avec précaution. C'est alors que je sentis une présence dans mon dos. Quelqu'un se tenait sur le côté de la porte, caché dans l'ombre d'un des énormes arcs-boutants.

Un instant, je restai pétrifié. Puis, le cœur cognant à grands coups, je me retournai lentement. La silhouette sombre s'avança dans le clair de lune, et je la reconnus aussitôt. Ce n'était pas un prêtre, mais le frère que j'avais vu agenouillé, en train de s'occuper du jardin. Le frère Peter était chauve, seul un mince collier de barbe blanche ornait son visage émacié. Il parla soudain :

– Avertis ton maître, Thomas ! Vite ! Quittez cette ville avant qu'il soit trop tard !

Je ne répondis rien. Je tournai les talons et pris mes jambes à mon cou. Je ne ralentis qu'en arrivant dans la rue. Là, je me remis à marcher, afin de ne pas trop attirer l'attention, me demandant pourquoi le frère Peter ne m'avait pas arrêté. N'était-ce pas son rôle ? N'avait-il pas été placé là pour monter la garde ?

Quoi qu'il en soit, je devais prévenir l'Épouvanteur de la trahison de son cousin. J'ignorais dans quelle auberge il était descendu ; toutefois, je supposai que son frère le saurait. Je connaissais l'Arc de Friar pour l'avoir parcouru lorsque je cherchais un logement. Je n'aurais pas de mal à trouver la boutique d'Andrew. Je me hâtai le long des rues pavées. Je n'avais guère de temps devant moi ; l'Inquisiteur et ses sbires étaient peut-être déjà en route.

L'Arc de Friar était une large artère pentue bordée de boutiques, et je repérai facilement l'échoppe du serrurier : au-dessus de l'entrée, une pancarte indiquait : *ANDREW GREGORY*. L'endroit était plongé dans la pénombre. Je dus frapper à plusieurs reprises avant qu'une lumière vacillante s'allume à l'étage.

Andrew ouvrit la porte, en chemise de nuit. Il m'examina à la lueur d'une chandelle, son visage trahissant un mélange d'étonnement, de colère et d'inquiétude.

– Votre frère est en danger, dis-je d'une voix aussi basse que possible. Je dois l'en avertir, mais j'ignore où il loge.

Sans un mot, Andrew me fit signe d'entrer et me conduisit dans son atelier. Les murs étaient couverts de clés et de serrures de toutes tailles et de toutes formes. L'une des clés était aussi longue que mon avant-bras ; je me demandai à quoi ressemblait la serrure qu'elle ouvrait.

J'expliquai rapidement ce qui m'était arrivé.

– Je lui avais bien dit que c'était de la folie, de rester ici ! s'exclama-t-il en abattant son poing sur un établi. Maudit soit ce traître de cousin, ce foutu hypocrite ! J'ai toujours su qu'il fallait se méfier de lui. Le Fléau a dû réussir à l'avoir, il le manipule pour mettre John hors d'état de nuire. Dans tout le Comté, mon frère est la seule personne qui représente une menace pour lui.

Il monta à l'étage et eut vite fait de s'habiller. L'instant d'après, nous filions par les rues désertes en direction de la cathédrale.

– Il est descendu à l'auberge *Le Livre et le Cierge*, haleta Andrew en secouant la tête. Pourquoi diable ne te l'a-t-il pas dit ? Tu n'aurais pas perdu tout ce temps. Pourvu qu'il ne soit pas trop tard !

Mais il *était* trop tard. Nous étions encore à bonne distance lorsque nous entendîmes des voix rudes et des coups frappés contre une porte, avec une violence à réveiller un mort.

Nous courûmes regarder, dissimulés dans l'angle d'une maison. Que faire d'autre ? L'Inquisiteur était là, sur son grand étalon blanc, accompagné d'une trentaine d'hommes. Ils étaient munis de matraques ; certains avait tiré leur épée, comme s'ils s'attendaient à une résistance. L'un d'eux heurta de nouveau le battant du pommeau de son arme :

– Ouvrez ! Ouvrez, ou nous enfonçons la porte !

Les verrous grincèrent, et l'aubergiste apparut, en chemise de nuit, levant une lanterne, avec la mine ahurie d'un homme qu'on vient de tirer d'un profond sommeil. Sans doute ne vit-il pas l'Inquisiteur, mais seulement les deux soldats qui lui faisaient face, car il commit une grave erreur : il protesta avec véhémence :

– Qu'est-ce que ça signifie ? Un homme n'a-t-il pas le droit de dormir, après une rude journée de travail ? On n'a pas idée de faire pareil raffut à cette heure de la nuit ! Il y a des lois, figurez-vous, et je connais mes droits !

– Imbécile ! rugit l'Inquisiteur, en poussant sa monture vers l'entrée. La loi, c'est *moi* ! Dans tes murs dort un sorcier, un serviteur du Diable ! Abriter un ennemi avéré de l'Église mérite les plus sévères châtiments. Écarte-toi, ou tu le paieras de ta vie !

– Pardon, Monseigneur ! Pitié ! gémit l'aubergiste, portant une main à sa poitrine dans un geste de supplication, une expression de pure terreur sur le visage.

En guise de réponse, l'Inquisiteur fit signe à ses hommes, qui se saisirent de lui sans ménagement. Il fut traîné dans la rue et jeté à terre.

Alors, délibérément, un sourire cruel étirant ses lèvres, l'Inquisiteur guida son cheval vers le malheureux. Un sabot s'abattit sur sa jambe, et j'entendis l'os se briser. Mon sang se figea. Tandis que l'aubergiste gisait sur les pavés, hurlant de douleur, quatre soldats s'étaient rués dans l'auberge. L'escalier de bois résonna sous le martèlement de leurs bottes.

Lorsqu'ils poussèrent l'Épouvanteur dehors, il me parut vieux et fragile ; peut-être un peu effrayé aussi, mais j'étais trop loin pour en être sûr.

– John Gregory ! lança l'Inquisiteur d'une voix arrogante. Te voilà entre mes mains ! Ta vieille carcasse desséchée devrait faire un beau feu de joie !

L'Épouvanteur ne répondit pas. Impuissant, je regardai les soldats lui lier les mains derrière le dos avant de l'emmener.

– Toutes ces années pour en arriver là ! murmura Andrew. Jour après jour, il s'est conduit avec droiture. Il ne mérite pas d'être brûlé.

Je n'arrivais pas à y croire. Une boule enflait dans ma gorge, à tel point que je ne pus prononcer un mot jusqu'à ce que mon maître disparaisse au tournant de la rue. Enfin je lâchai :

– Il faut qu'on fasse quelque chose...

Andrew secoua la tête d'un air abattu :

– Eh bien, petit, réfléchis, et dis-moi comment on va s'y prendre. Parce que, moi, je n'en ai pas la moindre idée ! Pour l'heure, tu ferais mieux de revenir chez moi, et, à la première lueur du jour, tu fileras le plus loin possible d'ici !

8

Le récit de frère Peter

L'aube commençait à poindre quand nous arrivâmes chez Andrew. Nous entrâmes dans sa cuisine, qui donnait sur une cour pavée. Il m'offrit de partager son petit déjeuner. Ce n'était pas grand-chose, juste un œuf et une tranche de pain grillé. Je le remerciai, mais je devais refuser, car je poursuivais mon jeûne. Manger, c'était accepter de ne plus revoir l'Épouvanteur et de ne pas affronter le Fléau avec lui. De toute façon, je n'avais pas faim.

Depuis l'arrestation de mon maître, j'avais passé chaque minute à réfléchir à un moyen de le tirer de là et de sauver aussi Alice. Si je n'en trouvais pas, ils finiraient tous deux sur le bûcher.

Une pensée me frappa soudain. Je me tournai vers le serrurier :

– Le sac de M. Gregory est toujours dans ma chambre, à l'auberge du *Taureau Noir*. Et il a dû laisser son bâton et ses affaires dans la sienne. Comment les récupérer ?

– Voilà au moins une chose que je peux régler, dit Andrew. Ce serait trop dangereux pour toi ou moi d'y aller ; je connais quelqu'un qui s'en chargera. Je m'en occuperai tout à l'heure.

Tandis que je regardais Andrew manger, un son lugubre retentit, au loin.

– C'est une cloche de la cathédrale ?

Andrew confirma d'un hochement de tête et continua de mâcher sans entrain. Il ne semblait pas avoir plus d'appétit que moi.

Je me demandai si cette triste sonnerie appelait les fidèles à un office matinal, mais, avant que j'aie pu l'interroger, le serrurier déglutit et soupira :

– Ça annonce encore une mort, à la cathédrale ou dans l'une des églises de la ville. À moins qu'un autre prêtre soit décédé dans le Comté et que la nouvelle vienne juste de parvenir au presbytère. Je crains que ce soit le sort réservé à tous ceux qui s'en prennent à l'obscur et à la corruption au cœur de notre cité. On entend souvent le glas, ces temps-ci.

Cette idée me fit frissonner. Je repris :

— Les habitants de Priestown savent-ils que le Fléau est le responsable de cette période de malheurs, ou les prêtres sont-ils les seuls à être au courant ?

— La présence du Fléau est connue de tous. Dans le quartier de la cathédrale, la plupart des gens ont muré la porte de leur cave. La peur est partout, mêlée de superstition. Qui pourrait blâmer ces malheureux, puisqu'ils ne peuvent même plus compter sur leurs prêtres pour les protéger ? Pas étonnant que les congrégations voient leurs effectifs décroître !

— Avez-vous terminé la clé ?

Les épaules d'Andrew s'affaissèrent :

— Oui. Hélas, mon pauvre John n'en aura plus l'usage.

Je me mis à parler très vite pour qu'il ne puisse m'interrompre et que j'aie le temps d'expliquer mon plan :

— C'est nous qui nous en servirons. Les catacombes s'étendent sous la cathédrale et sous le presbytère ; il y a sûrement un moyen d'y accéder par là. Nous attendrons la nuit. Et, quand tout le monde dormira, nous pénétrerons dans le bâtiment.

— Ce serait de la folie, fit Andrew en secouant la tête. Le presbytère est immense, il compte une infinité de pièces, dans les étages et au sous-sol. Nous ignorons où sont enfermés les prisonniers. De plus, ils sont gardés par des soldats en armes. Veux-tu brûler, toi aussi ? Moi pas !

– Ça vaut le coup d'essayer, insistai-je. Personne ne s'attend à voir quelqu'un surgir par en bas, depuis le territoire même du Fléau. Nous jouirons de l'effet de surprise ; sans compter que les gardes seront peut-être endormis.

– Non ! refusa fermement le serrurier. Inutile de sacrifier deux vies de plus.

– Alors, donnez-moi la clé, j'irai seul.

– Tu te perdras sans moi. Les galeries sont un vrai labyrinthe.

– Donc, vous connaissez le chemin ? Vous êtes déjà descendu là-dessous ?

– Oui, je sais comment arriver à la Grille d'Argent. Je ne me suis jamais aventuré plus loin, et n'en ai nulle envie. La dernière fois que j'y suis allé avec John, c'était il y a vingt ans. Cette créature a manqué de le tuer. Et tu as entendu ce que disait mon frère : elle n'est plus un simple esprit, elle se transforme en Dieu sait quoi ! Nous ignorons ce que nous aurions à affronter. On parle d'un chien noir, féroce, aux crocs énormes, d'un serpent venimeux. Le Fléau peut lire tes pensées, rappelle-toi, et prendre l'aspect de tes pires terreurs. Non, c'est trop dangereux. Quel sort est le pire : brûler vif sur le bûcher de l'Inquisiteur, ou être mis à mort par le Fléau ? Je ne saurais trancher. Un gamin comme toi ne devrait pas être confronté à un tel choix.

– Ne vous inquiétez pas de ça, dis-je. Occupez-vous des serrures, la suite me regarde.

– Comment espères-tu réussir là où mon frère a échoué ? Il était dans la force de l'âge, à l'époque, et tu n'es qu'un enfant.

– Je ne suis pas idiot ! Je ne compte pas venir à bout du Fléau. Je veux simplement mettre l'Épouvanteur en sécurité.

Andrew continuait de secouer la tête :

– Depuis combien de temps es-tu avec lui ?

– Bientôt six mois.

– Eh bien, voilà qui résout la question ! Tu as beau être plein de bonnes intentions, ton intervention ne ferait qu'empirer les choses.

– L'Épouvanteur prétend que la mort par le feu est terrible, la pire agonie qui soit. C'est pourquoi il s'est toujours refusé à brûler les sorcières. Et vous le laisseriez endurer ça ? S'il vous plaît, aidez-le ! Nous sommes son unique chance.

Cette fois, Andrew ne répliqua rien. Il resta assis un long moment, songeur. Quand il se leva, il me recommanda seulement de ne pas me montrer.

Cela me parut de bon augure. Au moins, il ne m'avait pas envoyé faire mes bagages.

Je demeurai assis au fond de la cuisine, tapant des talons contre le sol, tandis que le jour se levait lentement. Malgré ma fatigue, je n'avais pas dormi. Après les événements de la nuit, j'en aurais été incapable.

Andrew était au travail. Je l'entendais s'activer dans son atelier. De temps en temps, la sonnette de la porte tintait, annonçant l'arrivée ou le départ d'un client.

Lorsque le serrurier revint dans la cuisine, il était presque midi. Son expression avait changé, il me sembla solennel. Et quelqu'un le suivait.

Je sautai sur mes pieds, prêt à m'enfuir. Mais la porte de derrière était verrouillée, et les deux hommes se tenaient devant l'autre issue. Puis je reconnus l'étranger et me détendis. C'était le frère Peter, chargé du sac de l'Épouvanteur, de son bâton et de nos manteaux.

– Tout va bien, petit ! fit Andrew en s'approchant pour mettre les mains sur mes épaules d'un geste rassurant. Quitte cette mine effarée ! Frère Peter est un ami. Tu vois, il t'apporte les affaires de John.

Le frère sourit. Je le remerciai d'un signe de tête et déposai le tout près de ma chaise avant de me rasseoir. Les deux hommes prirent un siège et s'installèrent en face de moi.

Frère Peter avait la peau tannée de ceux qui ont travaillé toute leur vie en plein air, sous le soleil et dans le vent. Il était grand et voûté, peut-être à force de se courber vers la terre, avec un plantoir ou un sarcloir, depuis trop d'années. Une lueur amicale dansait dans ses yeux écartés, et, en dépit de son nez, aussi crochu qu'un bec de corbeau, mon instinct me souffla que c'était un brave homme.

– Eh bien, me dit-il, tu as eu de la chance de tomber sur moi, la nuit dernière ! Si un autre avait été de ronde, tu aurais aussitôt réintégré ta cellule ! Le père Cairns m'a convoqué peu après l'aube, et j'ai dû répondre à pas mal de questions embarrassantes. Il n'était pas content du tout !

– Je suis désolé, murmurai-je.

Frère Peter sourit de nouveau :

– Ne t'inquiète pas, petit ! Je ne suis qu'un jardinier, et j'ai la réputation d'être dur d'oreille. Il aura vite mieux à faire qu'à se soucier de moi, et l'Inquisiteur a bien assez de victimes à brûler !

– Vous vous êtes mis en grand danger en me permettant de fuir !

Frère Peter haussa les épaules, puis il s'adressa à Andrew :

– Bien que le père Cairns soit votre parent, je ne lui fais pas confiance. J'ai dans l'idée que le Fléau le manipule.

– C'est également ce que je crois, dit Andrew. John a été dénoncé, et je suis sûr que le Fléau tire les ficelles. Il s'est servi du falot personnage qu'est

125

notre cousin pour se débarrasser de mon frère, sachant que John est une menace.

— Oui, tu as raison. As-tu remarqué sa main bandée ? Il prétend s'être brûlé avec une chandelle ; or le père Hendle souffrait de la même blessure après que le Fléau s'est emparé de lui. À mon avis, le père Cairns a donné son sang à cette créature.

Je dus paraître horrifié, car Frère Peter se leva et passa un bras autour de mes épaules :

— N'aie pas peur, petit ! Il reste des hommes honnêtes dans cette cathédrale. Je ne suis qu'un humble frère, mais j'estime être l'un d'eux. J'accomplis la volonté du Seigneur chaque fois que je le peux. Je ferai tout ce qui est en mon pouvoir pour vous aider, toi et ton maître. L'obscur n'a pas encore gagné. Alors, mettons-nous à l'ouvrage ! Andrew m'a appris que tu étais assez courageux pour envisager de descendre dans les catacombes. Est-ce vrai ?

Il me fixait, frottant le bout de son long nez d'un air pensif.

— Puisqu'il faut que quelqu'un le fasse, dis-je, je vais essayer.

— Et si tu te trouves devant...

Il laissa sa phrase en suspens, comme s'il n'avait pu se résoudre à prononcer le nom terrible.

— T'a-t-on parlé de ce que tu risquais d'affronter ?

reprit-il. Un être qui change d'apparence, qui lit dans les esprits, qui...

Il hésita et regarda autour de lui avant de chuchoter :

– ... qui peut te *presser* !

– Oui, on m'a prévenu, répondis-je, affichant une assurance que j'étais loin de ressentir. Mais j'ai certains atouts. Par exemple, il n'aime pas l'argent...

Je déverrouillai le sac de l'Épouvanteur, y plongeai la main et en sortis la chaîne d'argent.

– Je suis capable de l'entraver avec ça, déclarai-je, soutenant le regard de Frère Peter et tâchant de ne pas ciller.

Les deux hommes échangèrent un regard, et Andrew sourit :

– Tu t'es beaucoup entraîné, n'est-ce pas ?

– Des heures et des heures ! Il y a un piquet, dans le jardin de M. Gregory. En lançant ma chaîne à une distance de huit pieds, je l'enroule autour de la cible neuf fois sur dix.

– Si tu parviens d'une façon ou d'une autre à éviter cette créature et à atteindre le presbytère, déclara Frère Peter, un élément jouera en ta faveur : l'endroit sera plus tranquille que d'ordinaire. Le décès d'hier s'est produit à la cathédrale. Le corps y est encore, et, cette nuit, presque tous les prêtres y seront rassemblés pour une veillée funèbre.

– Sais-tu qui est mort, Peter ? s'enquit Andrew.

– Le pauvre père Roberts. Il s'est lui-même ôté la vie en se jetant du haut d'un toit. C'est le cinquième suicide depuis le début de l'année.

Le frère Peter se tourna de nouveau vers moi :

– Il pénètre dans leurs têtes, vois-tu. Il les oblige à des actes contraires à leur conscience et à la loi divine. C'est terrible pour des hommes qui ont reçu les saints ordres et se sont consacrés à Dieu ! Certains préfèrent mourir que de supporter cela plus longtemps. Or, le suicide est un péché mortel. Ceux qui le commettent se ferment la porte du Paradis. Imagine quelle souffrance a dû être la leur pour les mener à cette extrémité ! Si seulement nous pouvions être débarrassés de cette malédiction avant que la cité tout entière ne soit corrompue !

Nous restâmes pensifs, le temps d'un court silence, et je vis remuer les lèvres du frère Peter ; je compris qu'il priait pour le défunt prêtre. Puis il fit un signe de croix et regarda Andrew. Les deux hommes hochèrent la tête. Sans prononcer un mot, ils avaient passé un accord.

– Je t'accompagnerai jusqu'à la Grille d'Argent, me déclara Andrew. Frère Peter va nous aider...

Le frère Peter viendrait-il avec nous ? Il dut lire la question sur mon visage, car il leva les mains et sourit :

– Oh non, Tom ! Je n'aurai jamais le courage d'approcher des catacombes. Non, ce qu'Andrew veut dire, c'est que je peux vous être utile d'une autre manière : en vous indiquant le chemin. Voilà : il existe une carte des galeries. Elle figure dans un cadre, près d'une des portes du presbytère, celle qui ouvre sur les jardins. J'ai perdu le compte des heures que j'ai passées là, à attendre qu'un des prêtres vienne me donner mon travail de la journée. Au fil des ans, j'en suis venu à connaître chaque pouce de cette carte. Veux-tu noter l'itinéraire, ou sauras-tu le retenir ?

– J'ai une bonne mémoire.

– Très bien. N'hésite pas à me demander de répéter au besoin. Donc, Andrew te conduira à la Grille d'Argent. Lorsque tu l'auras franchie, continue tout droit jusqu'à un embranchement. Là, prends le couloir de gauche. Tu atteindras des marches, qui mènent à une grande cave à vin. La porte en sera fermée à clé, mais cela ne représente pas un problème quand on a un ami tel qu'Andrew ! Tu n'auras plus qu'une autre porte à passer, au fond à droite, pour sortir du cellier et te retrouver dans les sous-sols du presbytère.

– Le Fléau ne risque-t-il pas de me suivre dans la cave et de s'échapper ? m'inquiétai-je.

– Non. Il ne peut quitter les catacombes que par la Grille d'Argent, à condition qu'on la lui ouvre, évidemment. Toute autre issue lui est interdite. Tu seras donc en sécurité dès que tu seras dans la cave.

Simplement, avant de la quitter, tu devras faire une chose : il y a une trappe dans le plafond, à gauche de la porte. Elle donne sur une venelle qui longe le mur nord de la cathédrale. Les livreurs l'utilisent pour descendre le vin et la bière dans le cellier. Déverrouille-la avant d'aller plus loin. Ce sera plus simple pour t'échapper ensuite que de retourner jusqu'à la grille. Tout est-il bien clair ?

— Ne serait-ce pas encore plus simple d'accéder directement à la cave par cette trappe ? demandai-je. De cette façon, j'éviterais à la fois la Grille d'Argent et le Fléau !

— J'aimerais que ce soit aussi facile ! Mais c'est trop risqué. La trappe est exposée aux regards. Quelqu'un pourrait te surprendre.

Je hochai la tête, pensif.

— Même si tu ne dois pas entrer par la trappe, intervint Andrew, il y a une bonne raison pour que tu l'utilises en revanche comme sortie. Il faut à tout prix éviter que John se trouve de nouveau face au Fléau. À mon avis, au fond de lui, il a peur, si peur qu'il n'est pas certain d'en revenir vainqueur.

— Peur ? m'exclamai-je, indigné. Rien de ce qui appartient à l'obscur n'effraie M. Gregory !

— Du moins ne l'a-t-il jamais admis, enchaîna Andrew. Cela, je te l'accorde. Malheureusement, une malédiction l'a touché il y a longtemps, et...

Je lui coupai la parole :

– Mon maître ne croit pas aux malédictions !
Il vous l'a dit.

– Si tu me permets d'ajouter un mot, insista
Andrew, je t'expliquerai. C'est une malédiction d'une
puissance redoutable. À cette époque, trois assem-
blées de sorcières de Pendle s'étaient alliées. John
interférait trop dans leurs affaires ; aussi, mettant
de côté leurs griefs et leurs querelles, le maudirent-
elles ensemble. Elles célébrèrent un sacrifice, et des
innocents furent massacrés. La célébration eut lieu
pendant la nuit de Walpurgis, la veille du premier
jour de mai, il y a vingt ans. Ensuite, elles lui envoyè-
rent les termes de la malédiction sur un parchemin
éclaboussé de sang. Il m'a révélé un jour ce qui était
écrit dessus :

*Tu mourras en un lieu obscur, au plus profond des
profondeurs, sans un ami à tes côtés.*

– Les catacombes…, soufflai-je, la gorge serrée.

S'il affrontait le Fléau, seul, dans ces souterrains,
les conditions de la malédiction seraient réunies.

– Oui, les catacombes, reprit Andrew. Comme je
te le disais, tu devras utiliser la trappe. Peter, pardon de t'avoir interrompu !

Le frère eut un pâle sourire et continua :

– Après avoir déverrouillé la trappe, tu sortiras
de la cave et tu tomberas dans un couloir, au bout
duquel se trouve une cellule. C'est là que l'on
enferme les prisonniers. Ton maître sera là. Mais,

pour y parvenir, il te faudra passer devant le corps de garde. Ce sera le plus dangereux. Cela dit, les sous-sols étant humides et glacials, les gardes auront allumé un feu dans la cheminée. Si Dieu le veut, ils auront fermé la porte de la salle pour conserver la chaleur. En ce cas, tu n'auras plus qu'à délivrer M. Gregory et à l'entraîner loin de la ville. Il reviendra s'occuper de cette immonde créature une autre fois, lorsque l'Inquisiteur sera parti.

– Non ! s'écria Andrew. Après tout ce qui s'est produit, j'espère qu'il ne remettra jamais les pieds ici !

– S'il ne combat pas le Fléau, protesta Frère Peter, qui le fera ? Je ne crois pas aux malédictions, moi non plus. Avec l'aide de Dieu, John vaincra cet esprit diabolique. La situation empire, et je serai probablement la prochaine victime.

– Pas toi, Peter ! J'ai rencontré peu d'hommes ayant ta force de caractère.

Le frère haussa les épaules :

– Je lutte de mon mieux. Lorsque je l'entends chuchoter à mon oreille, je prie avec plus de ferveur. Dieu nous donne le courage dont nous avons besoin, si nous avons la sagesse de le lui demander. Quelque chose doit être fait, sinon, j'ignore comment cette histoire va se terminer.

– Elle se terminera quand la population en aura assez, dit Andrew. Je m'étonne qu'elle supporte la perversité de l'Inquisiteur si longtemps. Certains des prisonniers qui vont être brûlés ont des parents et des amis, ici. Les gens seront bientôt à bout.

— Peut-être, et peut-être pas, grommela Frère Peter. Beaucoup aiment le spectacle des bûchers. Il ne nous reste qu'à prier.

9

Les catacombes

Frère Peter étant retourné à ses tâches quoti-
diennes, je demeurai jusqu'au lever du soleil en
compagnie d'Andrew. Il m'apprit que l'entrée des
catacombes la plus accessible se situait dans la cave
d'une maison abandonnée jouxtant la cathédrale.
Pour passer inaperçu, mieux valait s'y rendre au
crépuscule.

À mesure que les heures s'écoulaient, je me
sentais de plus en plus nerveux. En exposant mes
intentions à Andrew et au frère Peter, j'avais su me
montrer assuré ; néanmoins, le Fléau me terrifiait.
Je trompai mon attente en farfouillant dans le sac
de l'Épouvanteur.

J'en tirai d'abord la longue chaîne d'argent qu'il utilisait pour entraver les sorcières et l'enroulai à ma taille, sous ma chemise. J'étais cependant bien conscient que la lancer contre le Fléau, ce ne serait pas la même chose que s'exercer sur un piquet de bois...

Je pris ensuite ma provision de sel et de limaille de fer. Je transférai mon briquet à amadou dans la poche de ma veste, et remplis celles de mon pantalon : la droite avec du sel, la gauche avec de la limaille. C'était grâce à ces ingrédients, efficaces contre la plupart des créatures hantant l'obscurité, que j'étais venu à bout de la vieille Mère Malkin.

Certes, ces armes n'étaient pas suffisantes pour vaincre un adversaire aussi puissant que le Fléau. Si tel avait été le cas, l'Épouvanteur l'aurait mis hors d'état de nuire une fois pour toutes vingt ans plus tôt. Mais, dans l'extrémité où je me trouvais, j'étais prêt à tenter n'importe quoi, et l'idée de posséder ces quelques atouts me réconfortait un peu. D'ailleurs, je n'espérais pas détruire le démon ; je comptais seulement le tenir éloigné le temps de délivrer mon maître.

Le bâton de l'Épouvanteur dans la main gauche et son sac contenant nos manteaux dans la droite, je sortis enfin, dans la nuit tombante, et marchai avec Andrew en direction de la cathédrale. Le ciel était lourd de nuages et l'air sentait la pluie. Je m'étais mis à haïr Priestown, ses rues pavées, ses cours enserrées entre de hauts murs. Les collines et les grands espaces me manquaient. Comme j'aurais aimé être à Chipenden, pris dans la routine de mes leçons avec l'Épouvanteur ! J'avais du mal à accepter l'idée que cette période puisse être révolue.

À proximité de la cathédrale, Andrew se faufila dans l'un des étroits passages courant à l'arrière des demeures mitoyennes. Il s'arrêta devant une porte, souleva doucement le loquet et me fit signe de le suivre dans une cour. Il referma le battant avec précaution et s'avança vers la maison, plongée dans l'ombre.

Il fourragea dans la serrure ; l'instant d'après, nous étions entrés, et il redonnait un tour de clé derrière nous. Puis il alluma deux chandelles et m'en tendit une.

– L'endroit est inhabité depuis plus de vingt ans, me dit-il. Un esprit particulièrement malveillant hante les lieux, si bien que plus personne n'ose s'en approcher ; les chiens eux-mêmes se tiennent à l'écart.

Il avait raison quant à l'existence d'un esprit maléfique : j'aperçus l'inscription que l'Épouvanteur avait gravée au dos de la porte :

γ I

Je reconnus la lettre grecque *gamma*, utilisée pour un spectre ou un fantôme. Le chiffre « un » signalait une créature de première catégorie, assez dangereuse pour pousser n'importe quel humain au bord de la folie.

— Il s'appelait Matty Barnes, m'apprit Andrew. Il a assassiné sept personnes dans la ville, peut-être davantage. Il avait des mains énormes, avec lesquelles il étranglait ses victimes, de préférence des jeunes femmes. On dit qu'il les attirait ici et les tuait dans cette pièce. L'une d'elles réussit à lui échapper : elle se débattit et lui creva un œil avec une épingle à chapeau. Il mourut lentement, d'un empoisonnement du sang. John était sur le point de chasser son fantôme, quand il lui parut préférable de n'en rien faire : il avait l'intention de revenir un jour pour en terminer avec le Fléau et voulait s'assurer que ce passage vers les catacombes lui serait accessible. Qui aurait envie d'acheter une maison hantée ?

Soudain, l'atmosphère se refroidit, et la flamme de nos chandelles vacilla. Quelque chose venait. Avant que j'aie eu le temps de respirer, ce fut là. Je ne voyais rien, mais je devinais une présence, tapie dans l'ombre, au fond de la cuisine. Et *ça* me fixait.

Ne rien distinguer rendait la situation pire encore. Les esprits les plus puissants peuvent choisir de se rendre visibles ou non. Le fantôme de Matty Barnes me prouvait sa force en restant caché, tout en me laissant savoir qu'il m'observait. De plus, sa méchanceté était perceptible : il nous voulait du mal. Plus vite nous serions sortis d'ici, mieux cela vaudrait.

– Est-ce un effet de mon imagination, ou fait-il très froid ? me demanda Andrew.

– Oui, il fait froid, répondis-je sans mentionner la présence du fantôme.

Inutile d'effrayer mon compagnon plus qu'il ne l'était déjà !

– Alors, bougeons-nous ! lança-t-il en se dirigeant vers l'escalier qui menait à la cave.

L'habitation était bâtie selon le modèle typique des demeures urbaines du Comté : deux pièces au rez-de-chaussée, deux pièces à l'étage et un grenier sous le toit. La porte du cellier était située au même endroit que dans la maison de Horshaw où l'Épouvanteur m'avait fait passer ma première nuit d'apprenti. Cette maison était hantée, elle aussi, et, afin de vérifier mes aptitudes à ce travail, mon maître m'avait ordonné de descendre à la cave à minuit. On n'oublie pas une telle nuit ! Rien que d'y penser, j'en frissonne encore aujourd'hui.

Andrew et moi rejoignîmes le sous-sol. À part un tas de vieux tapis qui puaient le moisi, le lieu était vide. Andrew me confia sa chandelle et déplaça les tapis, dégageant une trappe.

– Plusieurs entrées aboutissent aux catacombes, m'expliqua-t-il. Mais celle-ci est la plus simple d'accès et la moins dangereuse. Aucun curieux ne se risquera à fourrer son nez dans le coin !

Il souleva la trappe, et j'aperçus des marches qui s'enfonçaient dans un trou d'ombre, d'où s'exhalait une odeur de terre et de pourriture. Andrew reprit sa chandelle et passa le premier, me priant de patienter. Au bout d'un instant, il m'appela :

– C'est bon, tu peux venir. Laisse la trappe ouverte, au cas où on serait obligés de sortir de là en vitesse !

Je laissai le sac de l'Épouvanteur avec nos manteaux dans la cave et suivis mon guide, serrant toujours le bâton de mon maître. Arrivé en bas, je découvris avec étonnement un sol sec et dur, et non pas la boue à laquelle je m'attendais. La galerie était pavée comme les rues au-dessus. Ces travaux avaient-ils été effectués par les gens qui vivaient là avant la construction de la ville, ce peuple qui vouait un culte au Fléau ? Et, si c'était le cas, l'entrelacs des rues de Priestown correspondait-il au réseau des catacombes ?

Andrew se mit en route sans un mot, et je sentis qu'il avait hâte que toute cette affaire soit terminée.

Le tunnel était assez large pour qu'on puisse avancer de front, mais la voûte était basse, ce qui obligeait Andrew à marcher courbé. Je comprenais pourquoi on appelait les premiers habitants « le Petit Peuple ». Les bâtisseurs de cette cité souterraine n'avaient certainement pas la taille des gens de notre époque.

Puis le tunnel se rétrécit ; de place en place, il semblait affaissé, à croire que le poids de la cathédrale et des bâtiments construits en surface l'écrasait. Ici et là, les pierres des murs et du plafond étaient tombées, et une boue collante comme de la vase suintait des parois. De l'eau gouttait quelque part, et l'écho de nos bottes sonnant sur les pavés se répercutait dans les profondeurs des galeries.

Le passage devenant encore plus étroit, je dus me placer derrière Andrew. Puis il se divisa en deux tunnels plus petits. Nous prîmes celui de gauche et arrivâmes devant un renfoncement. Andrew fit halte et leva sa chandelle, qui éclaira en partie la cavité.

Je me figeai d'horreur.

Il y avait là des niches pleines d'ossements : des crânes aux orbites creuses, des fémurs, des humérus, des phalanges, d'autres os que je n'identifiais pas, entassés en désordre. Des ossements humains !

– Les catacombes sont truffées de cryptes comme celle-ci, commenta Andrew. Ça ne donne pas envie de se perdre dans le noir, hein !

Je remarquai que les os étaient de petite taille. Il s'agissait des restes des Segantii.

Nous continuâmes, et j'entendis un clapotis d'eau. Au tournant suivant, un ruisseau apparut.

– Il court sous la rue principale, devant la cathédrale, m'expliqua Andrew.

Désignant neuf larges pierres plates affleurant à la surface du flot noir, il ajouta :

– C'est ici que nous allons passer...

Une fois de plus, Andrew ouvrit la marche, sautant agilement de pierre en pierre. Parvenu de l'autre côté, il se retourna et me regarda accomplir ma traversée.

– C'est facile, ce soir, commenta-t-il. Après une forte pluie, l'eau recouvre parfois le gué. On risque alors d'être emporté.

Bientôt, le bruit du ruisseau s'éteignit derrière nous.

Soudain, Andrew s'arrêta, et je vis par-dessus son épaule que nous étions arrivés devant une grille. Et quelle grille ! Je n'en avais jamais vu de pareille. Du sol au plafond, d'une paroi à l'autre, un portail de métal fermait totalement la galerie. Ce métal luisait à la lumière des chandelles. C'était de toute évidence un alliage contenant une forte proportion d'argent, qui avait dû être forgé par un artisan de grand talent. Les barreaux, constitués de plusieurs barres fines enroulées en spirales, formaient un motif complexe ; plus je les observais, plus leur forme semblait changer.

Andrew me fit face et posa une main sur mon épaule :

– Voici la Grille d'Argent. Maintenant, écoute bien, c'est capital : y a-t-il quelque chose dans les parages ? Quelque chose qui appartient à l'obscur ?

– Je ne crois pas.

– C'est insuffisant, rétorqua Andrew d'un ton sec. Tu dois en être convaincu. Si cette créature s'échappait, elle terroriserait tout le Comté, et plus seulement les prêtres !

Aucune sensation de froid ne me signalait la proximité de l'obscur. Toutefois, je respirai profondément et me concentrai pour vérifier cette impression.

Rien. Je ne perçus rien.

– La voie est libre, lançai-je.

– Tu en es sûr ? Tout à fait sûr ?

– Oui, j'en suis sûr.

Andrew fouilla dans la poche de son pantalon et s'agenouilla : il y avait une petite porte insérée dans la grille, dont la minuscule serrure se trouvait au ras du sol. Il y introduisit avec précaution une clé tout aussi minuscule. Je me souvins de l'énorme clé que j'avais remarquée sur le mur de son atelier. On aurait pu imaginer que la plus grande était la plus importante ; or, c'était l'inverse. Quoi de plus formidable, en effet, que cet objet miniature dans la main du serrurier, qui protégeait le pays de la malignité du Fléau ?

Il batailla avec la serrure, ôtant et réintroduisant la clé à plusieurs reprises. Enfin, elle tourna, et la porte s'ouvrit.

Andrew se redressa :

– Tu es toujours décidé ?

Je hochai la tête et, m'agenouillant à mon tour, glissai le bâton par l'ouverture et m'y faufilai à quatre pattes. Andrew referma immédiatement la grille derrière moi et me passa la clé entre les barreaux. Je la mis dans ma poche gauche, bien enfoncée dans la limaille de fer.

– Bonne chance ! me souffla le serrurier. Je vais t'attendre une heure dans la cave de la maison, au cas où tu reviendrais par ce chemin pour une raison ou une autre. Si tu ne réapparais pas, je retournerai chez moi. Tu es un brave garçon, Tom. J'aurais vraiment souhaité en faire plus et avoir le courage de t'accompagner.

Je le remerciai. Puis, le bâton dans ma main gauche et la chandelle dans la droite, je m'enfonçai dans l'obscurité.

À peine avais-je fait trois pas que l'horreur de mon entreprise me submergea. Qu'est-ce qui m'avait pris ? Étais-je devenu fou ? J'étais descendu dans le repaire du Fléau, et il pouvait surgir à tout moment. Il avait sûrement conscience de mon intrusion !

J'inspirai profondément et me rassurai en pensant que, puisqu'il ne s'était pas rué par l'ouverture de la grille lorsque Andrew l'avait ouverte, c'est qu'il n'avait pas encore perçu ma présence. Et, si les catacombes étaient aussi immenses qu'on le prétendait, le Fléau se trouvait peut-être à des milles de là ! Quoi qu'il en soit, que faire, sinon avancer ? La vie de l'Épouvanteur et celle d'Alice dépendaient de ma réussite.

Au bout d'une minute de marche, j'arrivai à un embranchement. Me rappelant les indications du frère Peter, je m'engageai dans le tunnel de gauche. L'air autour de moi se refroidit : je n'étais plus seul ! Au-delà de l'espace éclairé par la chandelle, j'apercevais des formes imprécises, vaguement lumineuses, évoquant un vol de chauves-souris, entrant et sortant des cryptes creusées de chaque côté de la galerie. À mon approche, elles disparurent. Elles n'avaient pas osé venir trop près, mais j'étais sûr qu'il s'agissait de fantômes du Petit Peuple. Ils ne m'inquiétaient guère ; c'était le Fléau qui m'obsédait.

Plus loin, le tunnel faisait un coude. À l'instant où j'obliquai sur ma gauche, je dérapai. J'avais marché sur une substance molle et collante.

Je reculai et abaissai la chandelle pour mieux voir. Ce que je découvris me laissa les jambes flageolantes, et la bougie trembla dans ma main. Sur le sol, il y avait un chat mort. Ce qui m'effrayait n'était pas qu'il soit mort, mais la façon dont il avait péri. L'animal avait dû se faufiler dans les catacombes, à la poursuite d'un rat ou d'une souris, pour y connaître cette terrible fin : il gisait sur le ventre, et les yeux lui sortaient de la tête. La pauvre bête était aplatie au point que son corps formait une grosse tache sur les pavés. Sa langue encore luisante indiquait que cela s'était passé récemment. Je frémis d'horreur. Il avait été « pressé » ! Tel était le sort qui m'attendait peut-être si je rencontrais le Fléau.

Je m'éloignai en hâte de cet affreux spectacle et parvins au pied d'une volée de marches montant vers une porte. Si le frère Peter avait raison, la cave du presbytère était de l'autre côté.

Je grimpai l'escalier et introduisis le passe-partout de l'Épouvanteur dans la serrure. L'instant d'après, je poussai le battant de bois et le refermai aussitôt après avoir pénétré dans la cave, sans toutefois redonner un tour de clé. Mieux valait me réserver une issue, au cas où j'aurais un problème avec la trappe. Et, de toute façon, le Fléau ne pouvait s'enfuir par là.

J'étais dans un vaste cellier encombré d'énormes tonneaux de bière et garni de casiers poussiéreux chargés de bouteilles, dont beaucoup devaient être là depuis fort longtemps, à en juger par les toiles d'araignées qui les drapaient. Il régnait là un silence mortel, et, à moins que quelqu'un se soit dissimulé dans un coin pour m'épier, l'endroit était désert. La flamme de la chandelle n'éclairait cependant qu'un étroit espace autour de moi, et, derrière les tonneaux, l'obscurité pouvait receler n'importe quoi.

Avant que nous quittions la maison d'Andrew, le frère Peter m'avait appris que les prêtres ne descendaient à la cave qu'une fois par semaine pour en remonter leur provision de boissons, et que la plupart d'entre eux préféraient se tenir éloignés du sous-sol à cause du Fléau. En revanche, il n'avait pu m'assurer qu'il en serait de même pour les hommes de l'Inquisiteur : eux n'étaient pas d'ici et n'en savaient pas assez pour être effrayés. De plus, ils puiseraient sans vergogne dans les réserves de bière et ne se contenteraient pas de mettre en perce une seule barrique. Ils pouvaient donc surgir à l'improviste.

Je traversai prudemment la cave, m'arrêtant tous les dix pas pour tendre l'oreille. Je finis par distinguer la porte qui donnait sur le corridor et, en haut du mur de gauche, la trappe de bois. Nous en avions une semblable à la ferme. Notre domaine s'appelait autrefois la Brasserie, parce qu'un précédent propriétaire y brassait la bière, qu'il vendait aux tavernes des environs. Comme me l'avait expliqué le frère Peter, cette trappe permettait de descendre et remonter les tonneaux sans avoir à passer par le presbytère. Il avait raison, ce serait la voie la plus pratique pour s'échapper d'ici. En l'utilisant, je courrais le risque d'être repéré ; mais repasser par la Grille d'Argent signifiait une rencontre possible avec le Fléau ; or, après son emprisonnement, mon maître serait trop affaibli pour l'affronter. La malédiction qui pesait sur lui me confortait aussi dans ce choix. Qu'on y croie ou pas, autant ne pas tenter le Diable !

De grosses barriques étaient entassées juste audessous de la trappe. Je posai la chandelle sur l'une d'elles et y appuyai le bâton ; grimpé sur une autre, j'atteignis le verrou, que l'on pouvait manœuvrer de l'intérieur comme de l'extérieur. Son mécanisme était assez simple, et la clé de l'Épouvanteur se montra efficace. Je laissai cependant la trappe en place, pour que personne dans la venelle ne s'étonne de la trouver ouverte.

Je revins alors à la porte de la cave ; la clé tourna facilement dans la serrure. Mon maître avait de la chance d'avoir pour frère un artisan aussi habile !

Le bâton à la main, je m'aventurai dans un long couloir pavé. Il était vide, mais, à vingt pas, sur la droite, une torche flambait, fixée au chambranle d'une porte close. Ce devait être celle du corps de garde, dont Frère Peter m'avait parlé. Plus loin, je devinai une ouverture et les premières marches d'un escalier de pierre conduisant au rez-de-chaussée.

J'avançai sur la pointe des pieds. Arrivé à la hauteur de la salle des gardes, je perçus une rumeur, une toux, des rires.

Soudain, les battements de mon cœur s'accélérèrent : une voix profonde venait de retentir tout près, derrière la porte. Avant que j'aie eu le temps de courir me cacher, le battant s'ouvrit à la volée, et je faillis le prendre en pleine face. Je m'aplatis vivement contre le mur. De lourdes bottes sonnèrent contre les pavés.

– Je retourne à mon travail, reprit la voix, que je reconnus alors.

C'était celle de l'Inquisiteur, et elle s'adressait à quelqu'un qui se tenait sur le seuil de la salle.

– Qu'on envoie chercher Frère Peter ! ordonnat-il. Et qu'on me l'amène dès que j'en aurai fini avec l'autre. Si le père Cairns a laissé échapper un prisonnier, au moins a-t-il eu le bon sens de me révéler qui était à blâmer. Qu'on attache étroitement les mains de notre bon frère, de sorte que la corde entaille bien les chairs ! Qu'il sache exactement ce qui l'attend ! On ne se contentera pas de rudes paroles, croyez-moi ! Les fers rouges lui délieront la langue.

En guise de réponse, un rire grossier et cruel monta du corps de garde. Puis l'Inquisiteur referma la porte et se dirigea à grands pas vers l'escalier, son long manteau noir flottant derrière lui.

Je me figeai. S'il se retournait, il me verrait ! Un instant, je craignis qu'il continue jusqu'à la cellule des prisonniers, au fond du corridor ; mais, à mon grand soulagement, il s'engagea dans l'escalier.

Pauvre Frère Peter ! Il allait être soumis à la question par ma faute, et je n'avais aucun moyen de l'avertir. Car j'étais le prisonnier échappé ! Et le père Cairns m'avait dénoncé. À présent que l'Inquisiteur tenait l'Épouvanteur, il voudrait mettre la main sur son apprenti. Je devais libérer mon maître avant qu'il soit trop tard, pour lui comme pour moi.

Je faillis alors commettre une grande erreur en m'apprêtant à gagner la cellule. Je réalisai juste à temps que les ordres de l'Inquisiteur seraient exécutés aussitôt. En effet, la porte de la salle s'ouvrit encore ; deux gardes armés de gourdins en sortirent et marchèrent vers l'escalier.

Lorsque le battant se referma, je me trouvai de nouveau à découvert et, de nouveau, j'eus de la chance : les gardes eux non plus ne se retournèrent pas. Après qu'ils eurent disparu, je restai immobile, le temps que le bruit de leurs pas s'éteigne et que les battements de mon cœur se calment. J'entendis alors des pleurs, une voix psalmodiant une prière. Cela venait de la cellule. Je m'élançai et m'arrêtai bientôt devant une lourde porte de fer, dont la partie haute était formée de barres verticales.

Je levai la chandelle et regardai à l'intérieur. Dans la lumière vacillante, la cellule offrait un spectacle affligeant, et l'odeur qui en montait était atroce. Il y avait là une vingtaine de personnes entassées dans un espace minuscule. Certaines semblaient dormir, allongées sur le sol. D'autres étaient assises, le dos contre le mur. Une femme se tenait debout près de la porte : c'était sa voix que j'avais entendue. Ce que j'avais pris pour une prière n'était en réalité qu'un marmonnement incompréhensible. Ses yeux roulaient dans leurs orbites ; les épreuves qu'elle avait endurées avaient dû la rendre folle.

Je ne voyais ni l'Épouvanteur ni Alice, ce qui ne signifiait pas qu'ils n'étaient pas dans la cellule. Ces gens étaient bien les prisonniers de l'Inquisiteur, destinés au bûcher.

Sans attendre davantage, je posai mon bâton et déverrouillai la serrure. J'avais l'intention d'entrer pour trouver ceux que je cherchais, mais, avant que la porte soit tout à fait ouverte, la femme qui chantonnait s'avança et me barra l'accès.

Elle se mit à crier, me crachant au visage des phrases incohérentes. Je lançai un regard inquiet vers la salle des gardes. Mais, déjà, les autres prisonniers l'avaient écartée et se bousculaient pour sortir. Je remarquai une jeune fille, à peine plus âgée qu'Alice, avec de grands yeux bruns et de jolis traits. Je me penchai vers elle et chuchotai :

– Je cherche quelqu'un...

Je n'eus pas le temps d'en dire davantage. Sa bouche s'ouvrit, révélant deux rangées de dents cassées et noircies, et un rire sauvage jaillit de sa gorge, ce qui déclencha un tollé autour d'elle. Ces gens avaient été torturés, ils avaient passé des jours, voire des semaines dans l'attente de la mort ; il était vain de faire appel à leur raison pour les inciter au calme. Des doigts s'accrochaient à moi ; un grand type dégingandé aux longs bras et au regard éperdu s'empara de ma main gauche. La serrant à m'en briser les os, il la secoua avec gratitude.

– Merci ! Merci ! coassait-il.

Je réussis à me libérer et récupérai mon bâton. J'étais affolé : ce tapage allait alerter les gardes. Que ferais-je si Alice et l'Épouvanteur n'étaient pas dans cette cellule ? S'ils étaient enfermés ailleurs ?

Je n'eus pas le temps de vérifier, car, rudement poussé en avant, j'étais déjà au-delà du corps de garde et, en quelques secondes, je me retrouvai devant la porte de la cave, entouré d'une troupe de prisonniers. Bien que les cris aient cessé, le brouhaha restait toujours trop fort. Je n'avais plus qu'à espérer que les gardes étaient en pleine beuverie. Ils devaient être habitués à entendre les appels des prisonniers et ne s'attendaient certainement pas à une évasion.

Une fois dans la cave, j'escaladai les tonneaux et, en équilibre sur la pointe des pieds, je relevai la trappe. J'aperçus par l'ouverture les contreforts de la cathédrale. Un souffle d'air froid et humide me balaya le visage. Dehors, la pluie tombait dru.

Des gens grimpèrent derrière moi. Le grand escogriffe qui m'avait remercié m'écarta d'un coup de coude et se hissa à l'extérieur. Puis il me tendit la main.

– Viens ! fit-il.

J'hésitai. Je voulais savoir si l'Épouvanteur et Alice étaient hors de la cellule. La seconde d'après, une femme était grimpée à son tour et levait les bras vers l'homme, qui l'agrippa par les poignets et l'extirpa de la cave.

Je n'avais pas saisi ma chance. Les autres prisonniers se bousculaient, se battant presque dans leur hâte désespérée de se sauver de là. Un homme, toutefois, gardait son calme. Il fit basculer une barrique et la roula près des tonneaux entassés sous la trappe pour former une marche et faciliter l'escalade. Il aida une vieille femme à monter et lui soutint les jambes pendant que l'autre, dehors, la tirait vers le haut.

Beaucoup de ces malheureux avaient déjà pris la fuite, mais il en arrivait sans cesse. J'avais repris la chandelle et la tenais levée, mes yeux allant d'un prisonnier à l'autre, dans l'espoir de reconnaître mon maître et mon amie.

Une pensée me frappa tout à coup : et s'ils étaient trop malades ou trop faibles pour bouger, et qu'ils n'aient pas eu la force de quitter la cellule ?

Je n'avais pas le choix. Je devais retourner là-bas pour m'en assurer. Je sautai du tonneau. Trop tard ! Un cri retentit, des voix furieuses s'élevèrent, des bottes résonnèrent sur le pavé du corridor. Un grand costaud fit irruption dans la cave, brandissant un gourdin. Il balaya l'endroit du regard et, avec un rugissement de rage, se jeta sur moi.

10

Crachat de fille

Sans une seconde d'hésitation, j'empoignai mon bâton et soufflai la chandelle, plongeant la cave dans l'obscurité. Puis je courus vers la porte menant aux catacombes.

J'entendis dans mon dos un terrible tumulte : des hurlements, des pleurs, des bruits de lutte. Jetant un coup d'œil, j'aperçus un autre garde qui entrait dans la cave, une torche à la main ; je me glissai derrière des casiers à bouteilles et, à la faveur de l'ombre, gagnai le mur du fond.

J'étais consterné de devoir abandonner Alice et l'Épouvanteur. L'idée d'être venu jusqu'ici et de me montrer incapable de les sauver me rendait malade. J'espérais toutefois que, dans la confusion, ils réussiraient à s'échapper. L'un comme l'autre, ils voyaient dans le noir et, si j'arrivais à gagner l'issue vers les catacombes, ils y parviendraient aussi.

Je sentais la présence d'autres prisonniers, dissimulés près de moi dans les recoins obscurs de la cave. Alice et mon maître se trouvaient peut-être parmi eux ; mais je ne pouvais les appeler sans risquer d'alerter les gardes. Tout en me faufilant entre les casiers, j'eus l'impression que la porte des catacombes s'était entrouverte pour se refermer aussitôt. Il faisait cependant trop sombre pour que j'en sois certain.

Je franchis enfin cette porte. À l'instant où je la tirai derrière moi, une obscurité si dense m'environna que, d'abord, je fus comme un aveugle. Figé en haut de l'escalier, plein d'angoisse, j'attendis que mes yeux s'accoutument.

Dès que je pus distinguer les marches, je les descendis avec précaution et m'engouffrai dans le tunnel, craignant qu'un garde finisse par repérer l'issue : je ne l'avais pas verrouillée, pour laisser à Alice et à l'Épouvanteur – s'ils étaient là – une chance d'en profiter.

D'ordinaire, je me dirige aisément dans le noir, mais, ici, l'obscurité semblait s'épaissir à mesure que j'avançais. Je m'arrêtai et tirai mon briquet de la poche de ma veste. Je m'agenouillai, fis tomber un peu d'amadou sur le pavé et le frappai avec mon silex. Une étincelle jaillit. Quelques secondes plus tard, je rallumais ma chandelle.

Grâce à cette lumière, je marchais plus vite. L'air se refroidissait à chaque pas, et, ici et là, des ombres inquiétantes dansaient sur les murs. Les vagues formes lumineuses étaient bien plus nombreuses qu'à l'aller. Les morts, dérangés par mon premier passage, se rassemblaient.

Soudain, je m'immobilisai : au loin, un chien hurlait. J'écoutai, le cœur battant. Était-ce un vrai chien, ou... autre chose ? Andrew avait évoqué un molosse noir aux crocs impressionnants, une bête énorme : le Fléau lui-même. Je tâchai de me persuader qu'il s'agissait d'un animal réel. Après tout, si un chat était parvenu à s'introduire dans les catacombes, pourquoi pas un chien ?

Le hurlement monta de nouveau, et l'écho le répercuta longtemps à travers les galeries. Était-ce devant ou derrière moi ? Je n'aurais su le dire. Quoi qu'il en soit, avec l'Inquisiteur et ses sbires dans mon dos, je n'avais d'autre choix que de continuer vers la Grille d'Argent.

Je m'élançai donc, frissonnant de froid ; j'enjambai le chat mort et arrivai à l'embranchement. Enfin, au-delà du tournant, j'aperçus le scintillement de la Grille. Je m'arrêtai alors, les genoux flageolants, incapable d'avancer. Car, dans l'obscurité que ne chassait pas la lumière de ma chandelle, quelqu'un m'attendait. Une silhouette sombre était assise sur le sol, appuyée au mur, la tête baissée. Un prisonnier évadé ? Celui qui s'était faufilé par la porte lorsque j'avais cru la voir s'entrouvrir ?

Ne pouvant rebrousser chemin, je fis quelques pas en tenant bien haut ma chandelle. Un visage barbu se leva vers moi.

— Qu'est-ce qui t'a retenu ? me demanda une voix familière. Voilà déjà cinq minutes que je t'attends !

C'était mon maître ! Un vilain hématome noircissait son œil gauche, et sa lèvre était enflée. Il avait été battu.

— Vous allez bien ? lui demandai-je, anxieux.

— Ça va, petit. Accorde-moi un instant que je reprenne haleine, et je serai frais comme un gardon. Ouvre cette grille, et partons vite !

— Alice était-elle avec vous ? Étiez-vous dans la même cellule ?

— Non, mon garçon. Mieux vaut l'oublier. Cette fille ne t'apportera que des ennuis ! Il n'y a rien qu'on puisse faire pour elle, désormais.

D'un ton froid, presque cruel, il conclut :

— Elle mérite le sort qui lui est réservé.

Choqué, je m'exclamai :

— Le bûcher ? Mais... vous avez toujours refusé de brûler les sorcières ; alors, une jeune fille... Et vous avez assuré à Andrew qu'elle était innocente !

Je n'ignorais pas que l'Épouvanteur n'avait jamais accordé sa confiance à Alice ; pourtant, il me blessait en parlant d'elle sur ce ton, surtout après avoir lui-même échappé à ce destin terrible. Avait-il aussi oublié Meg ? Il ne faisait pas preuve d'une telle dureté de cœur, à l'époque !

– Pour l'amour du ciel, petit, tu dors, ou quoi ? s'impatienta-t-il. Allez, dépêche-toi ! Sors ta clé et ouvre cette porte !

Comme je demeurai perplexe, il eut un geste de la main :

– Et rends-moi mon bâton, que je m'appuie dessus ! Je suis resté trop longtemps dans cette geôle humide, mes vieux os me font mal.

Je m'approchai pour le lui donner. À l'instant où ses doigts allaient se refermer dessus, je reculai vivement, saisi d'horreur. Pas uniquement à cause de l'haleine putride qu'il me soufflait au visage, mais parce qu'il tendait vers moi son bras droit ! Le droit, pas le gauche !

Ce n'était pas l'Épouvanteur ! Ce n'était pas mon maître !

Pétrifié, je regardai ce bras retomber, s'étendre jusqu'à doubler de longueur et ramper vers moi en ondulant sur les pavés tel un serpent. Avant que j'aie eu le temps de bouger, la main m'avait agrippé la cheville et la pressait à me faire mal. Ma pre-mière idée fut d'arracher ma jambe à l'horrible étreinte. Je compris aussitôt que ce n'était pas le bon moyen. Je gardai donc une parfaite immobilité et me concentrai.

Je serrai le bâton et forçai la peur à refluer en res-pirant profondément. J'étais terrifié. Mais, tandis que mon corps demeurait figé, mon esprit bouillon-nait. Je n'avais qu'une explication, et elle était effroyable : j'étais devant le Fléau !

Je m'obligeai à examiner la créature avec atten-tion, en quête du plus petit détail dont je pourrais tirer parti. Elle ressemblait à s'y méprendre à l'Épou-vanteur, et le son de sa voix était identique. Hormis ce bras serpentin, il n'y avait aucune différence.

Au bout de quelques secondes, je me ressaisis un peu. C'était une astuce que mon maître m'avait enseignée : lorsqu'on affronte sa plus grande peur, c'est grâce à la concentration qu'on se détache de ses propres émotions.

« N'oublie jamais cela, petit ! m'avait-il dit un jour. L'obscur se nourrit de ta peur. Si tu luttes l'esprit tranquille et le ventre vide, la bataille est à moitié gagnée.

Ce fut efficace. Mon corps cessa de trembler ; je me sentis plus calme, presque détendu.

Le Fléau lâcha ma cheville, et le bras reprit sa taille normale. La créature se redressa et fit un pas vers moi. J'entendis alors un curieux son : non pas un bruit de bottes, comme je m'y attendais, mais un raclement de griffes sur les pavés. Ce mouvement créa un déplacement d'air, et la flamme de ma chandelle vacilla, projetant contre la Grille d'Argent l'ombre déformée du faux Épouvanteur.

Je déposai prestement la chandelle et le bâton sur le sol, entre nous deux. La seconde suivante, j'étais debout, les deux mains dans les poches de mon pantalon, saisissant dans la gauche une poignée de sel, une poignée de limaille de fer dans la droite.

– Perte de temps, ça ! gronda le Fléau.

Sa voix n'était plus du tout celle de l'Épouvanteur. Rauque, profonde, elle rebondissait sur chaque pierre des catacombes, vibrait dans les semelles de mes bottes et remontait jusqu'à la racine de mes dents.

– Tu ne m'auras pas avec ces vieux trucs ! Ils ne me feront pas de mal, je suis là depuis trop longtemps ! La Vieille Carne, ton maître, l'a tenté une fois. Ça ne lui a rien valu, rien du tout !

Je n'hésitai qu'un bref instant. La créature mentait peut-être, et cela valait le coup d'essayer. Ma main gauche se referma alors sur quelque chose de dur : la petite clé qui ouvrait la Grille d'Argent. Je ne pouvais prendre le risque de la perdre.

– Aaaah ! fit le Fléau avec un sourire matois. Ce qu'il me faut, tu l'as !

Avait-il lu dans mes pensées ? Ou deviné d'après l'expression de mon visage ? De toute façon, il en savait trop.

– Réfléchis ! continua-t-il d'un ton cauteleux. Si la Vieille Carne n'a pu me vaincre, quelle chance as-tu ? Aucune ! Ils seront bientôt là pour te prendre. Les gardes. Tu ne les entends pas ? Tu vas brûler ! Brûler avec les autres ! Il n'y a pas de sortie, à part la Grille. Pas d'issue, tu comprends ? Alors, sers-toi de la clé, vite ! Avant qu'il soit trop tard !

Il se tenait de côté, le dos au mur. Je savais exactement ce qu'il désirait : passer la grille derrière moi et se retrouver libre de perpétrer ses forfaits à travers le pays. Et je savais ce que l'Épouvanteur aurait attendu de moi. Mon devoir était de tout faire pour que le Fléau demeure enfermé dans les catacombes, même au prix de ma propre vie.

– Ne sois pas stupide ! siffla le démon.

Il avait repris la voix de l'Épouvanteur, mais avec un accent discordant que je n'avais jamais perçu chez mon maître.

– Écoute-moi, et tu seras libre ! Et récompensé ! Tu recevras une grosse récompense ! La même que j'ai offerte à la Vieille Carne il y a bien des années. Il a refusé de m'écouter. Et où ça l'a mené ? Tu le sais ? Demain, il sera jugé, déclaré coupable, puis brûlé !

– Non ! criai-je. Je ne peux pas !

À ces mots, le visage du Fléau se crispa de rage. Il ressemblait toujours à l'Épouvanteur, mais les traits que je connaissais si bien étaient distordus par la malignité. Il avança d'un pas, le poing levé. Était-ce une illusion due à la flamme dansante de la chandelle ? Il grandissait. Et je sentis une masse invisible peser sur ma tête et mes épaules. Forcé de m'agenouiller, je me rappelai le chat aplati sur les pavés et je compris quel destin le Fléau me réservait. J'essayai d'aspirer un peu d'air ; en vain. La panique me saisit : je ne pouvais plus respirer ! J'étais perdu !

La lumière de la chandelle disparut dans l'obscurité qui tomba d'un coup devant mes yeux comme un voile. Je m'efforçai désespérément d'émettre un son, de crier grâce. Je savais pourtant que je n'obtiendrais aucune pitié, à moins d'accepter de déverrouiller la Grille d'Argent. Qu'est-ce que j'avais imaginé ? Quelle folie de me croire, après quelques mois d'apprentissage, capable d'affronter une créature aussi mauvaise et aussi puissante que le Fléau ! J'étais en train de mourir, de cela j'étais sûr. Seul dans les catacombes. Le pire était que j'avais échoué, lamentablement. Je n'avais réussi à secourir ni mon maître ni Alice.

Soudain, je perçus un bruit au loin : des pas traînants sur les pavés. Il paraît que, au moment de la mort, le dernier sens qui nous reste, c'est l'ouïe.

Et, pendant un instant, je songeai que ce serait mon ultime impression.

Le poids qui m'écrasait diminua peu à peu. La vue me revint, et je respirai de nouveau. Le Fléau tourna le regard vers le coude du tunnel. Il avait entendu, lui aussi.

Le bruit reprit. Pas de doute, il s'agissait bien de pas. On venait.

Je m'aperçus alors que le Fléau se transformait. Ce n'était pas une illusion : il grandissait vraiment. Sa tête touchait presque la voûte, son corps s'incurvait, son visage s'aplatissait, son nez et son menton s'arquaient comme pour se rejoindre. La créature était-elle en train de retrouver son apparence originelle, celle de la gargouille de pierre dominant le portail de la cathédrale ? Avait-elle récupéré toute sa puissance ?

J'écoutai. J'aurais volontiers soufflé la chandelle, mais je redoutais d'être dans le noir, à côté du démon. En tout cas, ce n'était pas une troupe de gardes envoyée à mes trousses par l'Inquisiteur, car une seule personne approchait. Peu importait qui ! Cette arrivée me sauvait provisoirement.

Quelqu'un pénétra dans le cercle de lumière de ma chandelle : je vis d'abord des pieds, chaussés de souliers pointus. Puis apparut une fille mince, vêtue de noir, qui marchait en balançant les hanches.

Alice !

Elle s'arrêta et me lança un bref coup d'œil. Ensuite, elle fixa le Fléau, avec plus de colère que d'effroi.

Un instant, les yeux de la créature rencontrèrent les miens. Quelque chose se mêlait à la rage qui flambait dans son regard. Je n'eus pas le temps de l'analyser, car Alice se ruait sur le Fléau en feulant tel un chat furieux. À ma totale stupéfaction, elle lui cracha à la figure.

Il y eut un brusque coup de vent, et, avant que j'aie réalisé ce qui se passait, le démon avait disparu.

Nous restâmes tous deux immobiles un temps qui me parut une éternité. Puis Alice m'adressa un pâle sourire :

– Un crachat bien efficace, pour une fille, n'est-ce pas ? Je me débrouille pas mal quand je m'y mets !

Je ne répondis rien. Je n'arrivais pas à croire que le Fléau ait pu être si aisément mis en fuite. J'essayais déjà d'introduire dans la serrure de la Grille d'Argent ma minuscule clé. Mes mains tremblaient, et j'avais les mêmes difficultés qu'Andrew à faire jouer le mécanisme.

Je parvins enfin à trouver la bonne position. La petite porte s'ouvrit, je retirai la clé, fis passer de l'autre côté le bâton de l'Épouvanteur et sortis à quatre pattes.

– Prends la chandelle ! soufflai-je à Alice.

Dès qu'elle m'eut rejoint, je glissai la clé dans la serrure et recommençai la manœuvre. Cette fois, cela me prit un temps fou. Je redoutais à chaque instant de voir resurgir le Fléau.

– Plus vite ! me pressa Alice.

– Ce n'est pas aussi facile que ça en a l'air, marmonnai-je.

Lorsque je réussis à tourner la clé, je lâchai un soupir de soulagement.

Soudain, je repensai à mon maître :

– M. Gregory était-il emprisonné avec toi ?

Alice secoua la tête :

– Pas quand tu nous as ouvert la porte. On l'avait emmené pour l'interroger environ une heure avant.

J'avais eu la chance de ne pas être capturé et d'avoir libéré les prisonniers. Hélas, la chance, ça va, ça vient. J'étais arrivé une heure trop tard. Alice était libre, et l'Épouvanteur, toujours captif. Et, si je ne trouvais pas un moyen de le délivrer, il serait brûlé.

Sans tarder davantage, je conduisis Alice le long de la galerie jusqu'à la rivière souterraine. Je la traversai en quelques sauts. Quand je me retournai, Alice était encore sur l'autre rive, fixant le courant rapide.

– C'est profond, Tom ! me cria-t-elle. Trop profond ! Et les pierres sont glissantes !

Je retraversai et, la tenant par la main, l'aidai à franchir le gué.

Nous parvînmes bientôt devant la trappe donnant sur le sous-sol de la maison. Une fois dans la cave, je rabattis le panneau de bois. Je fus déçu de constater qu'Andrew était parti. Il fallait que je lui parle, il fallait qu'il sache que mon maître n'était pas dans la cellule, que le frère Peter était en danger, et que la rumeur était vraie : le Fléau avait retrouvé sa puissance !

Pourtant, je déclarai :

– Nous ferions mieux d'attendre ici un moment. L'Inquisiteur fera fouiller la ville dès qu'il apprendra que des prisonniers se sont échappés. La maison est hantée ; le dernier endroit où on viendra nous chercher, c'est cette cave.

Alice acquiesça. Pour la première fois depuis le printemps, je l'observai attentivement. Elle était de ma taille – ce qui signifiait qu'elle avait grandi autant que moi – et vêtue de noir, comme le jour où je l'avais laissée chez sa tante, à Staumin. Si ce n'était pas la même robe, c'en était une identique.

Elle était toujours aussi jolie, mais son visage amaigri la faisait paraître plus âgée, à croire que les choses qu'elle avait vécues l'avaient forcée à mûrir, des choses auxquelles personne ne devrait être confronté. Ses cheveux noirs, sales et emmêlés, ses joues crasseuses prouvaient qu'elle n'avait pas eu l'occasion de se laver depuis fort longtemps.

– Je suis heureux de te revoir, lui dis-je. Quand je t'ai aperçue dans la charrette de l'Inquisiteur, j'ai cru que tu étais perdue.

Elle garda le silence, puis elle me prit le bras et le serra :

– Je meurs de faim, Tom. Tu n'as rien à manger ?

Je secouai la tête.

– Pas même un bout de vieux fromage ?

– Désolé, je n'en ai plus.

Elle s'écarta, attrapa la bordure d'un tapis, sur le sommet de la pile :

– Donne-moi un coup de main ! J'ai besoin de m'asseoir, et ce carrelage glacé n'est guère engageant.

Je posai la chandelle et le bâton et l'aidai à étaler le tapis. L'odeur de moisi m'emplit les narines, et je regardai avec dégoût les cloportes que nous avions dérangés détaler de tous côtés.

Sans se préoccuper d'eux, Alice s'assit, le menton appuyé sur ses genoux.

– Un jour, fit-elle, je me vengerai. Personne ne mérite d'être traité ainsi.

Je m'installai près d'elle et posai ma main sur la sienne.

– Qu'est-il arrivé ? demandai-je.

Elle resta muette un long moment. Je commençais à croire qu'elle ne répondrait pas quand elle se décida soudain :

– Après avoir appris à me connaître, ma vieille tante a été bonne pour moi. Elle me faisait travailler dur, mais elle me nourrissait bien. Je m'étais habituée à vivre à Staumin. Et c'est là que l'Inquisiteur est arrivé. Il nous est tombé dessus sans crier gare ; il est entré chez nous en enfonçant la porte. Pourtant, ma tante n'était pas comme Lizzie l'Osseuse, elle n'était pas sorcière !

« Les soldats l'ont plongée dans la mare à minuit, devant une foule de villageois ricanants, qui la huaient. J'étais terrifiée, persuadée que ce serait bientôt mon tour. Ils lui ont lié les pieds et les mains ensemble et ils l'ont jetée à l'eau. Elle a coulé comme une pierre. C'était une nuit noire et venteuse. Au moment où elle a heurté la surface, une bourrasque a soufflé la plupart des torches. Ils ont mis un temps fou à la tirer de là.

Enfouissant son visage dans ses mains, Alice émit un bref sanglot. J'attendis en silence qu'elle retrouve la force de continuer. Elle se redressa enfin, les yeux secs, même si sa lèvre tremblait.

– Lorsqu'ils l'ont sortie de l'eau, reprit-elle, ma tante était morte. Ce n'est pas juste, Tom ! Elle n'a pas flotté ! Elle a coulé, ce qui signifiait qu'elle était innocente, et ils l'ont tuée ! Après, ils m'ont fait monter dans la charrette avec les autres.

– Ma mère affirme que l'épreuve de l'eau ne sert à rien, que seuls les imbéciles l'utilisent.

– Oh, l'Inquisiteur n'est pas un imbécile ! Il sait ce qu'il fait, tu peux me croire. Il est cupide, il amasse des richesses. Il a vendu la maison de ma tante et a gardé l'argent. Je l'ai vu le compter. Il accuse les gens de sorcellerie, les élimine, leur prend leurs biens, leur terres, leurs économies. Et il en éprouve de la jouissance ! L'obscur est en lui. Il prétend débarrasser le Comté des sorcières, alors qu'il est plus cruel qu'aucune sorcière que j'ai connue, et c'est peu dire !

« Parmi les prisonniers, il y a une fille appelée Maggie, à peine plus âgée que moi. Elle n'a pas subi l'épreuve de l'eau, mais une autre, à laquelle il nous a forcés d'assister. Il a utilisé une longue aiguille, qu'il lui a enfoncée dans chaque partie du corps. Tu aurais entendu ses cris ! La pauvre fille était folle de douleur. Quand elle s'est évanouie, il lui a jeté un seau d'eau à la figure pour la ranimer. Au bout du compte, il a trouvé ce qu'il cherchait : la marque du Diable ! Tu sais ce que c'est, Tom ?

Je hochai la tête. L'Épouvanteur m'avait expliqué que c'était l'une des méthodes des chasseurs de sorcières. Encore un mensonge ! La marque du Diable n'existe pas. Tous ceux qui ont une vraie connaissance de l'obscur le savent.

– C'est cruel et injuste, continua Alice. Après une trop grande souffrance, le corps s'engourdit, et il arrive que l'aiguille, en pénétrant la chair, ne provoque plus de sensation. Ils prétendent alors que c'est l'endroit où le Diable t'a touché. Tu es déclaré coupable et condamné au bûcher. Le pire, c'était l'expression du visage de l'Inquisiteur ! Si satisfait de lui ! Mais je me vengerai, je lui ferai payer ses vilenies ! Maggie ne mérite pas d'être brûlée !

– L'Épouvanteur non plus, remarquai-je amèrement. Toute sa vie il a lutté contre l'obscur.

– C'est un homme, son agonie sera moins atroce. L'Inquisiteur s'arrange pour que les femmes mettent davantage de temps à brûler. Il affirme qu'il est plus difficile de sauver leur âme que celle des hommes, qu'elles ont besoin de souffrir davantage pour se repentir de leurs péchés.

Me revint alors à l'esprit ce que l'Épouvanteur m'avait appris à propos du Fléau : il ne supportait pas la proximité des femmes, ça le rendait nerveux.

– La créature sur qui tu as craché, lui dis-je, c'était le Fléau. Tu en as entendu parler ? Comment as-tu réussi à l'effrayer si aisément ?

Alice haussa les épaules :

– Il n'est pas très difficile de deviner si ta présence met quelqu'un mal à l'aise. Certains hommes sont comme ça ; lorsque je ne suis pas la bienvenue, je le sais tout de suite. Le vieux Gregory me donne cette impression, et j'ai ressenti la même tout à l'heure, en bas. Un bon crachat remet les choses en place. Crache trois fois sur un crapaud, et aucune créature à la peau humide et froide ne t'importunera plus pendant un bon mois. Lizzie ne jurait que par ce procédé. Toutefois, je ne pensais pas que ce serait d'une telle efficacité sur le Fléau. Oui, j'ai entendu parler de ce démon. Et, s'il est déjà capable de changer ainsi d'apparence, nous devons nous préparer à affronter de sérieux problèmes ! Je l'ai eu par surprise, voilà tout. La prochaine fois, il se tiendra sur ses gardes ; je ne redescendrai pas dans ces galeries, c'est hors de question !

Nous demeurâmes silencieux un moment. Je fixais le vieux tapis moisi quand j'entendis soudain Alice respirer lentement et profondément. Je la regardai : elle avait les yeux fermés. Elle s'était endormie sans changer de position, le menton sur les genoux.

J'ignorais combien de temps nous serions contraints de rester terrés dans cette cave, et je n'avais guère envie de souffler la chandelle. Mais il était préférable d'économiser la mèche pour plus tard ; je l'éteignis donc et tentai de dormir moi aussi, sans y parvenir. J'étais glacé. Je ne cessais de frissonner et n'arrivais pas à détourner mes pensées de l'Épouvanteur, toujours prisonnier. Les derniers événements avaient dû mettre l'Inquisiteur dans une colère noire ; il ne tarderait pas à faire dresser les bûchers.

Je finis par m'assoupir moi aussi.

Un chuchotement contre mon oreille me tira de mon sommeil.

— Tom, disait Alice d'une voix à peine perceptible, nous ne sommes pas seuls. Je sens qu'on m'observe, et je n'aime pas ça.

Elle avait raison. Je devinai une présence, dans le coin, et il faisait très froid. Mes cheveux se dressèrent sur ma nuque. À coup sûr, c'était le spectre de Matty Barnes, l'étrangleur.

— Ne t'inquiète pas, Alice, soufflai-je. Ce n'est qu'un fantôme. Tâche de l'ignorer. Si tu n'as pas peur, il ne te fera aucun mal.

— Je n'ai pas peur. Du moins, plus maintenant.

Elle marqua une pause, puis elle poursuivit :

— Dans cette affreuse cellule, j'étais terrifiée. Je n'ai pas fermé l'œil un seul instant, au milieu de tous ces cris et gémissements. Je ne vais pas tarder à me rendormir, mais je voudrais qu'*il* s'en aille. *Il* n'a pas le droit de me fixer comme ça !

— Je ne sais vraiment plus que faire, à présent, lui confiai-je, pensant de nouveau à l'Épouvanteur.

Alice ne réagit pas, sa respiration s'était ralentie. Elle dormait. Et je dus l'imiter, car un bruit me réveilla soudain en sursaut : un martèlement de bottes sur le carrelage. On marchait dans la cuisine, au-dessus de nous.

11
Le procès de l'Épouvanteur

L a porte s'ouvrit en grinçant, des pas descen-
dirent l'escalier, et la lueur d'une chandelle
éclaira la cave. Je fus soulagé de voir apparaître
Andrew.

– Je me doutais bien que je te trouverais ici, fit-il.

Il déposa près de moi un petit paquet, ainsi que
sa chandelle. D'un mouvement du menton, il désigna Alice, profondément endormie. Elle était couchée sur le côté, le visage dans ses bras, et nous
tournait le dos.

– Qui est-ce ? demanda-t-il.

– Elle s'appelle Alice ; elle vivait près de
Chipenden. M. Gregory n'était pas là. On l'avait
emmené pour l'interroger.

Andrew secoua la tête, l'air accablé :

– Frère Peter est venu me prévenir. Tu as joué de malchance ! À une demi-heure près, John aurait réintégré la cellule. Cependant, sur les onze prisonniers qui ont réussi à s'échapper, cinq ont été repris peu de temps après. Et j'ai une autre mauvaise nouvelle : les hommes de l'Inquisiteur ont arrêté Frère Peter dans la rue, alors qu'il sortait de chez moi. J'ai assisté à la scène de ma fenêtre. Je n'ai pas intérêt à rester dans cette ville ! Ils vont sûrement venir me chercher, et je n'ai pas l'intention de les attendre. J'ai déjà fermé la boutique. Mes outils sont dans ma charrette. Je me rends dans le sud, du côté d'Adlington, où j'ai travaillé autrefois.

– Je suis désolé pour vous, Andrew.

– Ne t'en fais pas pour moi. Qui n'aurait pas aidé son propre frère ? D'ailleurs, ma situation n'est pas si dramatique : je n'étais que locataire de l'échoppe et de la maison, et j'ai un métier dans les mains. Je trouverai toujours du travail.

Déballant le paquet, il ajouta :

– Tiens, je t'ai apporté de quoi manger.

– Quelle heure est-il ?

– Dans deux heures environ, ce sera l'aube. J'aurai du mal à repartir discrètement. Avec toute cette agitation, la moitié de la ville est réveillée. Beaucoup de gens se dirigent vers la grande halle de la Porte des Pêcheurs. Après les événements de la nuit, l'Inquisiteur va tenir un tribunal d'urgence pour les prisonniers qu'il garde encore.

— Pourquoi n'attend-il pas qu'il fasse jour ?

— Il craint une assistance trop nombreuse. Il veut que tout soit terminé vite pour ne pas avoir à affronter l'opposition de ceux des habitants qui réprouvent sa façon d'agir. Le bûcher sera dressé dès ce soir, au sommet de la colline du phare, à Wortham, sur la rive sud du fleuve. L'Inquisiteur va s'entourer d'une importante troupe en armes pour prévenir les troubles ; alors, si tu as deux sous de jugeote, tu ne bougeras pas d'ici jusqu'à la nuit ; ensuite, tu fileras le plus vite possible.

Avant même qu'il ait fini d'ouvrir le paquet, Alice s'était assise. Avait-elle senti la nourriture, ou avait-elle feint de dormir pour nous écouter ?

Andrew nous tendit des tranches de jambon, du pain frais et deux grosses tomates. Sans un mot de remerciement, Alice se jeta dessus. J'eus un instant d'hésitation, puis j'en fis autant. J'avais très faim, et je ne voyais pas de raison de jeûner plus longtemps.

— Donc, reprit Andrew, je m'en vais. Pauvre John ! Nous ne pouvons plus rien pour lui.

— Ne peut-on tenter encore une fois de le sauver ? demandai-je.

— Non, tu en as assez fait. T'approcher du tribunal serait trop dangereux. Hélas, mon malheureux frère

sera bientôt conduit à Wortham sous bonne garde
pour y être brûlé avec les autres condamnés.

– Et la malédiction ? insistai-je. Vous avez dit
vous-même qu'il mourrait seul, sous la terre, pas en
haut d'une colline !

– Oh, la malédiction... ! Je n'y crois pas davantage
que John. Je désespérais de l'empêcher d'affronter le
Fléau au moment où l'Inquisiteur était en ville, voilà
pourquoi j'ai employé cet argument. Non, j'ai bien
peur que le sort de mon frère ne soit scellé ; et toi,
tu ferais mieux de t'éloigner. John m'a parlé d'un
épouvanteur qui exerce du côté de Caster. Il couvre
la partie nord du Comté. Va le trouver de sa part, il
te prendra avec lui. Il a été l'apprenti de ton maître.

Andrew se dirigea vers l'escalier. Au moment de
s'en aller, il ajouta :

– Je te laisse la chandelle. Bonne chance, Tom !
Et, si tu as besoin un jour d'un bon serrurier, tu
sauras où me trouver.

Sur ces mots, il disparut. Je l'écoutai monter les
marches et refermer la porte.

Quelques instants plus tard, nous avions dévoré
les maigres provisions ; il n'en restait pas une miette.
Alice léchait le jus de tomate sur ses doigts.

– Alice, déclarai-je, je veux assister au procès. J'ai
peut-être encore une chance d'aider l'Épouvanteur.
Tu viendras avec moi ?

Elle ouvrit de grands yeux :

– Une chance ? Tu as entendu son frère : il n'y a plus rien à espérer, Tom ! Tu ne vas pas affronter des hommes armés. C'est beaucoup trop risqué, voyons ! Et pourquoi t'aiderais-je ? Le vieux Gregory, lui, ne lèverait pas le petit doigt pour moi. Il me laisserait brûler, tu peux en être sûr !

Je ne sus quoi répliquer. Elle disait vrai, mon maître avait refusé de la secourir. Avec un soupir, je me remis sur mes pieds :

– J'y vais tout de même.

– Non, Tom ! Ne m'abandonne pas ! Pas avec ce fantôme...

– Je croyais que tu n'avais pas peur.

– Je n'ai pas peur. Mais, dans mon sommeil, je l'ai senti me serrer la gorge. Je l'ai vraiment senti ! Toi parti, il pourrait s'enhardir.

– Alors, accompagne-moi ! Ce ne sera pas si dangereux, tant qu'on sera dans le noir. Et on n'est jamais mieux caché que dans une foule. Viens, s'il te plaît !

– Tu as un plan ? Quelque chose que tu ne m'as pas encore révélé ?

Je secouai la tête.

– En ce cas, pas question !

– Écoute, Alice, je veux juste aller voir. Je ne me pardonnerais jamais de ne pas avoir fait une dernière tentative. Si je ne trouve pas de solution, nous partirons.

Elle se releva à contrecœur :

– Bon, j'irai. Seulement promets-moi que, à la moindre alerte, nous filerons aussitôt. Je connais l'Inquisiteur mieux que toi. Crois-moi, il ne faut pas traîner dans les parages !

– Je te le promets.

Je laissai le sac et le bâton de mon maître dans la cave, et nous nous mîmes en route vers la Porte des Pêcheurs, où le procès devait avoir lieu.

Andrew n'avait pas exagéré en déclarant que la moitié de la ville était réveillée. Malgré l'heure matinale, des chandelles brûlaient derrière les rideaux, et des gens se hâtaient à travers les rues sombres dans la même direction que nous.

Je m'attendais à ce qu'on ne puisse pas approcher du tribunal, persuadé que des gardes seraient postés à l'extérieur. Je fus surpris de ne pas voir un seul des sbires de l'Inquisiteur. Les grandes portes de la halle étaient ouvertes, et les curieux s'agglutinaient sur le seuil, comme si tous ne parvenaient pas à entrer.

Je m'avançai prudemment, profitant de l'obscurité. En me mêlant à la foule, je constatai qu'elle n'était pas aussi dense que je l'avais cru.

À l'intérieur du bâtiment, l'air était vicié, chargé d'une odeur fade, écœurante. Ce n'était qu'une vaste salle au sol carrelé, sur lequel on avait répandu du sable. Je ne voyais pas très bien ce qui se passait, car la plupart des gens étaient plus grands que moi, mais il me sembla qu'ils faisaient cercle autour d'un grand espace vide, où personne n'osait pénétrer. Je pris Alice par la main et me frayai un chemin.

Si l'entrée était plongée dans l'ombre, deux énormes torches éclairaient une estrade de bois. L'Inquisiteur s'y tenait debout, toisant la foule du regard. Il parlait, mais sa voix se perdait dans le brouhaha.

En regardant autour de moi, je lus sur les visages toute une variété d'expressions : de la colère, de la tristesse, de l'amertume ou de la résignation, parfois même une hostilité manifeste. J'en conclus que beaucoup d'opposants à l'Inquisiteur étaient réunis ici, probablement des amis et des parents des accusés. Cette pensée me rendit quelque espoir : je trouverais peut-être un soutien parmi eux.

Cet espoir fut vite déçu lorsque je compris pourquoi personne ne s'avançait. Au pied de la plate-forme, cinq rangées de bancs étaient occupées par des prêtres qui nous tournaient le dos. Devant les bancs, une double ligne de soldats à la mine sinistre faisait face à l'assistance. Les uns avaient tiré leur épée, d'autres gardaient la main posée sur le pommeau de leur arme, comme s'ils avaient hâte de la dégainer. Voilà pourquoi la foule restait à distance !

Levant les yeux, je découvris une galerie supérieure qui courait le long des murs. Des visages se penchaient par-dessus la balustrade, qui, vus d'en bas, se ressemblaient tous. Je jugeai que cet endroit était le plus sûr, et le meilleur poste d'observation. Remarquant des marches sur ma gauche, j'entraînai Alice dans cette direction. Un instant plus tard, nous étions sur la galerie.

Celle-ci n'était pas encore bondée, et nous nous fîmes aisément une place. Les mêmes relents douceâtres flottaient dans l'air, plus forts encore qu'au rez-de-chaussée. Je devinai alors que la halle devait servir de marché aux viandes. C'était l'odeur du sang !

L'Inquisiteur n'était pas seul sur l'estrade. Au fond, dans la pénombre, un groupe armé entourait les prisonniers attendant leur jugement. Et, juste derrière l'Inquisiteur, deux gardes tenaient par les bras une fille aux longs cheveux noirs, pieds nus, vêtue d'une robe en lambeaux. Elle sanglotait.

Alice me chuchota à l'oreille :

– C'est Maggie, celle qu'il a torturée avec son aiguille. Pauvre Maggie ! Elle est perdue...

En hauteur, le son était plus net, et j'entendis clairement le discours de l'Inquisiteur.

– Cette femme a parlé ! clamait-il d'une voix arrogante. Elle a avoué, et on a trouvé sur sa chair la marque du Diable. Je la condamne à être attachée au poteau et brûlée vive. Que Dieu aie pitié de son âme !

Maggie sanglota plus fort. L'un des gardes l'empoigna par les cheveux et la traîna vers une porte de côté. Un autre prisonnier, portant une soutane noire, les mains liées dans le dos, fut poussé à sa place. Un instant je crus que je me trompais. Mais non, il n'y avait pas de doute...

C'était bien Frère Peter. Je reconnus son collier de barbe, son crâne chauve et son dos voûté. Il avait été si cruellement battu que son visage était couvert de sang. Son nez semblait cassé, et l'un de ses yeux se réduisait à une mince fente sous une paupière rouge et enflée.

Cette vision m'épouvanta : s'il en était là, c'était à cause de moi ! Il m'avait permis de m'échapper, et, grâce à lui, j'avais pu atteindre la cellule où l'Épouvanteur était enfermé. On l'avait torturé pour le contraindre à parler. La culpabilité me submergea.

– Celui-ci était un frère, un serviteur de l'Église, tonitrua l'Inquisiteur. Regardez-le ! Regardez ce traître ! Il s'est mis au service de nos ennemis, il s'est allié aux forces du mal ! Nous avons obtenu sa confession, écrite de sa propre main. La voici !

Il brandit un morceau de papier bien haut pour que tous le voient ; cependant, personne n'aurait pu le lire. Même s'il s'agissait d'une confession, le visage du pauvre frère Peter était assez éloquent : on lui avait extorqué ces aveux. Où était la justice ? Ce procès n'était qu'un simulacre. L'Épouvanteur

183

m'avait raconté que, au tribunal du château, à Caster, il y avait un juge, un plaignant et un défenseur. Ici, seul intervenait l'Inquisiteur.

– Il est coupable ! affirma-t-il. Qui en douterait ? En conséquence, je le condamne à être enfermé dans les catacombes. Que Dieu ait pitié de son âme !

Une rumeur horrifiée parcourut la foule. Les prêtres assis sur les bancs poussèrent un cri d'effroi. Ils savaient quel destin attendait le malheureux : il serait pressé à mort par le Fléau !

Frère Peter voulut parler, mais ses lèvres tuméfiées l'en empêchèrent. L'un des gardes le gifla, tandis que l'Inquisiteur lui lançait un sourire de hyène. On le fit sortir par la porte latérale, et à peine avait-il disparu qu'un autre prisonnier était tiré de la pénombre et poussé sur le devant de la scène. Mon cœur manqua un battement : c'était l'Épouvanteur.

À première vue, malgré des hématomes sur le visage, il n'avait pas subi autant de mauvais traitements que Frère Peter. Puis je remarquai qu'il clignait des yeux dans la lumière des torches, l'air ahuri, le regard vide, comme s'il avait perdu la mémoire et ne savait plus qui il était. Que lui avait-on fait pour le mettre dans un tel état ?

– Celui-ci s'appelle John Gregory ! tonna l'Inquisiteur, et l'écho renvoya sa voix de mur en mur. Voilà des années que ce suppôt de Satan exerce ses activités démoniaques dans le Comté, profitant de la crédulité des gens pour leur soutirer de l'argent. A-t-il avoué ses fautes ? Imploré le pardon de ses péchés ? Nullement ! Il s'entête ! Seul le feu peut désormais le purifier et lui rendre l'espérance du salut ! Et ce n'est pas tout ! Il s'adonne au mal et y a entraîné d'autres. Père Cairns, veuillez vous lever et nous apporter votre témoignage !

Un prêtre se leva d'un des bancs et s'approcha de l'estrade. Comme il me tournait le dos, je ne voyais pas son visage, mais je remarquai sa main bandée et, quand il parla, je reconnus sa voix.

– Seigneur Inquisiteur, déclara-t-il, John Gregory a amené avec lui dans cette ville un apprenti, un garçon qu'il a déjà corrompu. Son nom est Thomas Ward.

Alice étouffa une exclamation ; quant à moi, mes jambes flageolèrent. Je prenais brusquement conscience du danger ; j'étais là, dans cette salle, à portée de main de l'Inquisiteur et de ses sbires !

– Ce garçon était tombé entre mes mains, continua le père Cairns. Sans l'intervention du frère Peter, qui l'a aidé à échapper à la justice, je vous l'aurais livré pour qu'il soit interrogé. Toutefois, je l'ai questionné, Monseigneur, et j'ai réalisé à quel point il est déjà endurci, insensible à la persuasion. En dépit de mes efforts, il a refusé de convenir qu'il se fourvoyait. Et celui qui est à blâmer, c'est John Gregory, qui, non content de pratiquer son vil commerce, met toute son énergie à corrompre la jeunesse. Je sais que de nombreux apprentis sont passés entre ses mains. Quelques-uns poursuivent actuellement la même ignoble activité et forment à leur tour des apprentis. Par ces coupables pratiques, le mal se répand comme la peste à travers le Comté !

– Merci, Père. Retournez vous asseoir. Votre témoignage, à lui seul, suffit à condamner John Gregory.

Comme le père Cairns rejoignait son banc, Alice m'agrippa l'épaule.

– Partons d'ici ! me souffla-t-elle à l'oreille. C'est trop dangereux.

Je secouai la tête avec obstination. Certes, la mention de mon nom m'avait effrayé, pourtant je voulais rester encore un peu pour connaître le sort réservé à mon maître.

– John Gregory, rugit l'Inquisiteur, tu ne mérites qu'un châtiment : le bûcher ! Je prierai pour toi. Je prierai pour que la souffrance te révèle tes erreurs. Je prierai pour que te soit accordé le pardon de Dieu. Ainsi, tandis que ton corps brûlera, ton âme sera sauvée !

Tout en fulminant, il ne quittait pas l'accusé des yeux. Mais il aurait aussi bien pu s'adresser à un mur : on ne lisait pas le moindre signe de compréhension sur le visage de l'Épouvanteur. Dans un sens, c'était une bonne chose, car il ne réalisait pas ce qui lui arrivait. En revanche, cela signifiait que, si j'arrivais à le tirer de là, il ne serait plus jamais ce qu'il était.

Une boule m'obstruait la gorge. Je me sentais chez moi dans la maison de l'Épouvanteur ; j'aimais ses leçons, nos conversations, et même les moments terribles où nous devions affronter l'obscur. Je redoutais de perdre tout cela, et l'idée que mon maître puisse être brûlé vif m'emplissait d'horreur.

Maman avait raison. J'avais eu des doutes sur mes capacités à devenir l'apprenti de l'Épouvanteur ; j'avais craint la solitude. Elle m'avait affirmé que mon maître, bien qu'étant mon professeur, finirait par être mon ami. Je ne savais pas si c'était vraiment le cas, car il s'était souvent montré dur et sévère. Mais, oui, s'il disparaissait, il me manquerait.

Lorsque les gardes l'entraînèrent vers la porte du fond, je fis signe à Alice. Baissant la tête et prenant soin de ne croiser le regard de quiconque, je longeai la galerie et descendis l'escalier.

Dehors, le ciel s'éclaircissait. Bientôt, nous ne pourrions plus compter sur la protection de la nuit et risquerions d'être repérés. Les rues étaient plus animées, la foule qui se pressait à l'extérieur du bâtiment était plus dense. Je jouai des coudes dans la cohue de façon à m'approcher de la porte par laquelle étaient emmenés les prisonniers.

Au premier coup d'œil, je sus que la situation était sans espoir. Une bonne vingtaine d'hommes en armes gardaient l'issue. Nous n'avions aucune chance.

Le moral en berne, je lançai à Alice :

– Allons-nous-en ! Nous n'avons plus rien à faire ici.

J'avais hâte de retrouver la sécurité de la maison hantée, aussi accélérai-je le pas. Alice me suivit sans un mot.

12

La Grille d'Argent

De retour dans la cave, Alice se planta devant moi, les yeux étincelants de colère :

– Ce n'est pas juste, Tom ! Pauvre Maggie ! Je ne veux pas qu'elle soit brûlée ! Ni elle, ni aucun des autres prisonniers !

Je haussai les épaules, l'esprit vide. Alice finit par s'allonger et s'endormir. J'essayai de l'imiter, sans succès, tant je pensais à l'Épouvanteur. Même si cela paraissait impossible, ne pourrais-je aller au bûcher et tâcher d'imaginer un moyen de le sauver ?

Après avoir tourné et retourné ces idées dans ma tête, j'en vins à la conclusion qu'il n'y avait rien à faire. À la tombée du jour, je quitterais Priestown et rentrerais à la maison pour parler à maman. Elle saurait me conseiller quant à mon avenir ; moi, j'étais totalement dépassé par la situation. Et, puisque je devrais marcher toute la nuit, autant prendre un peu de sommeil.

Il me fallut un moment pour y parvenir. À peine assoupi, je commençai à rêver : j'étais de retour dans les catacombes...

D'ordinaire, on n'a pas conscience d'être en train de rêver. Si on s'en rend compte, on se réveille aussitôt. En tout cas, pour moi, ça se passe toujours ainsi. Seulement, ce rêve-là était différent, comme si j'étais sous l'emprise d'une force incontrôlable.

Je marchais le long d'une galerie, une chandelle à la main, me dirigeant vers l'entrée ténébreuse d'une des cryptes où reposaient les restes du Petit Peuple. J'avais beau refuser d'y pénétrer, mes pieds avançaient malgré moi.

Je m'arrêtai sur le seuil, et la flamme vacillante de la chandelle éclaira les ossements. La plupart étaient disposés au fond des niches. D'autres, brisés, s'éparpillaient sur le sol pavé ou s'entassaient dans un coin. Je ne voulais pas entrer là-dedans ; or, j'y fus contraint. J'entendais sous mes semelles des craquements sinistres. Soudain, je me sentis glacé.

Un hiver, lorsque j'étais petit, mon frère James m'avait poursuivi pour me mettre de la neige dans les oreilles. Je m'étais débattu, mais, s'il avait un an de moins que Jack, notre frère aîné, il était aussi costaud que lui – d'ailleurs, mon père l'envoya en apprentissage chez un forgeron. Il avait également le même sens de l'humour : fourrer de la neige dans les oreilles de son petit frère était le genre de blague stupide que Jack adorait. J'en avais eu le visage engourdi et douloureux pendant près d'une heure. J'éprouvais cette même impression dans mon rêve. Un froid extrême. Un phénomène surgi de l'obscur allait se manifester. La sensation montait, me paralysant le cerveau, à croire que ma tête ne m'appartenait plus.

Une voix s'éleva dans les ténèbres. Quelque chose se tenait derrière moi, m'interdisant la fuite. La voix était rauque et profonde, et je n'eus pas besoin de demander qui parlait. Bien que tournant le dos à la créature, je sentais son haleine putride.

– On m'a entravé, dit le Fléau. Je suis captif. Tel est mon sort.

Je ne répondis rien, et il y eut un long silence. Je tentai de me réveiller, de sortir de ce cauchemar. En vain.

– Une pièce bien agréable que celle-ci, reprit le Fléau. L'un de mes lieux favoris. Plein de vieux os. Ça ne vaut pas le sang, le sang de la jeunesse, le meilleur ! Si je n'ai pas de sang, je me contente des os. Des os frais seraient préférables. De bons os frais remplis de moelle. C'est ce que j'aime ! Fendre de jeunes os et en sucer la moelle ! Mais de vieux os comme ceux-ci, c'est mieux que rien. Mieux que la faim qui me dévore les entrailles. La faim qui fait si mal.

« Il n'y a plus de moelle dans les vieux os. Pourtant, les vieux os ont de la mémoire, le sais-tu ? Je les brise lentement, afin qu'ils me livrent leurs secrets. Je vois la chair qui les recouvrait avant, les espoirs, les ambitions des vivants, dans ces choses mortes, sèches, cassantes. Ça me nourrit aussi. Ça apaise ma faim.

La voix du Fléau n'était guère qu'un murmure, tout près de mon oreille. J'eus l'envie soudaine de faire volte-face pour le regarder. Il dut lire dans mon esprit, car il m'avertit :

– Ne te retourne pas, petit. Ce que tu verras ne te plaira pas. Réponds seulement à ceci...

Il marqua une longue pause ; mon cœur battait à grands coups dans ma poitrine. Enfin, la créature posa sa question :

– Qu'y a-t-il après la mort ?

Je ne connaissais pas la réponse. L'Épouvanteur n'abordait pas de tels sujets. J'avais seulement appris que certains fantômes pensaient et parlaient ; que certaines âmes laissaient derrière elles des sortes de traces, qu'on appelait des ombres. Mais où avaient-elles disparu ? Je l'ignorais. Seul Dieu le savait. S'il y avait un Dieu...

Je secouai la tête sans mot dire. J'avais trop peur,

à présent, pour oser me retourner. Je devinais dans mon dos une masse énorme, effroyable.

– Il n'y a rien, après la mort ! Rien ! Rien du tout ! mugit le Fléau. Que du noir et du vide. Que l'oubli. Voilà ce qui t'attend, de l'autre côté. Accède à ma demande, petit, et je te donnerai une longue, très longue vie ! Le plus que peut espérer un misérable humain, c'est soixante-dix ans, dix ou vingt fois moins que ce que je peux t'offrir ! Tout ce que tu as à faire, c'est m'ouvrir la Grille d'Argent. Ouvre la porte, je ferai le reste. Ton maître sera libre, lui aussi. C'est ce que tu désires, je le sais. Et tu retrouveras ta vie d'avant.

Au fond de moi, j'avais envie de dire oui. J'imaginais l'Épouvanteur sur le bûcher, mon long voyage solitaire vers Caster, sans aucune certitude d'y poursuivre mon apprentissage. J'aurais tant voulu que tout recommence comme si rien ne s'était passé ! Mais, quoique tenté d'accepter, je savais que c'était impossible. Même si le Fléau tenait parole, je n'avais pas le droit de le laisser vagabonder dans le Comté et y commettre ses méfaits en toute impunité. Mon maître préférerait mourir que de voir une telle horreur advenir.

J'ouvris la bouche pour refuser... Avant que j'aie prononcé un mot, le Fléau enchaîna :

– Avec la fille, ce serait facile ! Tout ce qu'elle désire, elle, c'est un foyer, une maison chauffée, des habits propres. Toi, c'est différent. Pense à ce que je t'accorderai ! En échange, je ne te demande que ton sang. Pas beaucoup. Ça ne te fera pas mal. Rien qu'un peu, c'est tout ce que je veux. Et nous ferons un pacte. J'aspirai un peu de ton sang, et je récupérerai mes forces. Laisse-moi passer la Grille, offre-moi ma liberté. Après quoi, j'exaucerai trois de tes vœux. Et tu auras une longue, très longue vie. Le sang d'une fille ne me satisfait pas pleinement ; c'est le tien qu'il me faut. Tu es le septième fils d'un septième fils. Je n'ai goûté qu'une seule fois un sang comme celui-là. Je m'en souviens ! Oh, je m'en souviens ! Le sang délicieux du septième fils d'un septième fils ! Je serai fort ! Et grande sera ta récompense ! N'est-ce pas préférable au néant de la mort ?

« Ah, la mort ! Elle viendra te prendre un jour. Elle viendra, inexorable, rampant autour de toi comme la brume sur la berge d'une rivière par une nuit humide et froide. Songe que je peux retarder ce moment. Le repousser des années et des années. Te donner une très longue vie avant que tu affrontes l'obscurité. Cette noirceur ! Ce néant ! Qu'en dis-tu, petit ? Je suis entravé. Je suis captif. Toi, tu peux m'aider.

Terrifié, je tentai de nouveau de me réveiller. Tout à coup, des mots sortirent de ma bouche comme prononcés par quelqu'un d'autre :

– Je ne pense pas qu'il n'y ait rien après la mort. J'ai une âme, et, si je mène une vie droite, je continuerai à vivre d'une autre manière. Il y a forcément quelque chose. Je ne crois pas au néant. Je n'y crois pas !

– Non ! Non ! rugit le Fléau. Tu ne sais pas ce que je sais ! Tu ne vois pas ce que je vois ! Je vois au-delà de la mort. Je vois le vide. Le néant. Moi, je sais ! Je connais l'horreur de n'être plus. Il n'y a rien ! Rien du tout !

Les battements de mon cœur s'apaisèrent, je me sentis soudain très calme. Le Fléau était toujours là, mais l'atmosphère de la crypte se réchauffait. Je comprenais, maintenant. Je savais quelle était la douleur de la créature. Je comprenais pourquoi elle avait besoin de se nourrir des humains, de leur sang, de leurs espoirs et de leurs rêves...

– J'ai une âme qui me fera vivre, conclus-je d'une voix tranquille. Voilà la différence entre nous : j'ai une âme, et toi pas ! Pour toi, il n'y a après la mort que le néant.

Une brusque poussée m'envoya contre le mur, et j'entendis derrière moi un sifflement furieux, qui enfla, devenant un rugissement de rage.

– Imbécile ! hurla le Fléau.

Sa voix emplit la crypte ; les galeries innombrables des catacombes s'en renvoyèrent longuement l'écho. La créature cogna ma tête sur les pierres dures et froides, m'égratignant le front. Du coin de l'œil, j'aperçus une main énorme qui me serrait la tempe. Les doigts se terminaient par de puissantes griffes jaunes.

– Je t'ai offert une chance, et tu l'as laissée passer, grinça le Fléau. Tant pis pour toi ! Quelqu'un d'autre m'aidera. Ce que je n'obtiens pas de toi, je l'obtiendrai d'elle !

Je fus projeté sur le tas d'ossements et m'y écrasai avec l'impression de les traverser. Je tombais, tombais dans un puits sans fond plein de fragments de squelettes. La chandelle s'était éteinte, mais les os luisaient dans l'obscurité : des crânes grimaçants, des cages thoraciques, des fémurs, des humérus et des cubitus, des phalanges. La poussière sèche de la mort se collait à mon visage, me pénétrait dans la bouche, dans les narines, dans la gorge. Je toussais, j'étouffais.

– Voilà le goût de la mort ! clamait le Fléau. Voilà à quoi elle ressemble !

Puis les ossements disparurent, et je ne vis plus rien. Je continuais de tomber dans une nuit totale. Je luttai pour me réveiller, terrifié à l'idée que le Fléau m'avait peut-être tué durant mon sommeil. En tout cas, je savais à présent qui il allait tenter de persuader.

Alice !

Lorsque j'émergeai enfin de ce cauchemar, il était trop tard. La chandelle qui brûlait près de moi avait presque entièrement fondu ; j'avais dû dormir pendant des heures. Et j'étais seul dans la cave.

Je fouillai ma poche, même si je l'avais déjà deviné : Alice m'avait dérobé la clé de la Grille d'Argent...

Je me redressai, chancelant, les tempes douloureuses ; la tête me tournait. Je me passai la main sur le front et la retirai maculée de sang. Le Fléau m'avait infligé cette blessure en rêve ; il lisait dans les pensées. Comment espérer vaincre une créature qui connaît vos intentions avant que vous ayez eu le temps de bouger ou de parler ? L'Épouvanteur avait raison : c'était l'être le plus dangereux que nous ayons jamais eu à affronter.

Alice avait laissé la trappe ouverte. Levant le reste de chandelle, je me ruai dans les catacombes. Quelques minutes plus tard, j'atteignis la rivière, qui me parut plus profonde qu'auparavant. L'eau tourbillonnait, rapide, recouvrant trois des neuf pierres, au milieu du passage ; je m'y engageai, et le courant happa mes bottes.

J'eus vite fait de traverser, espérant encore contre toute espérance que j'arriverais à temps.

Hélas ! Passé le tournant, je vis Alice assise, le dos au mur, la main gauche reposant sur les pavés, les doigts ensanglantés.

Et la Grille d'Argent était grande ouverte !

13
Le bûcher

— **A**lice ! m'écriai-je, fixant la grille ouverte d'un regard incrédule. Qu'est-ce que tu as fait ?

Elle leva vers moi des yeux brillants de larmes.

La clé était toujours dans la serrure. Je l'en arrachai d'un geste rageur et la fourrai dans ma poche de pantalon, l'enfouissant profondément dans la limaille de fer.

— Lève-toi ! Sortons de là ! aboyai-je, trop furieux pour en dire davantage.

Je lui tendis la main, mais elle serra la sienne, ensanglantée, contre elle en grimaçant de douleur.

— Comment t'es-tu blessée ? demandai-je.

— Ce n'est rien. Bientôt il n'y paraîtra plus. Tout ira bien, tu verras.

– Non, Alice ! Non, ça n'ira pas. À cause de toi, le Comté est en danger, à présent.

Je la tirai par sa main intacte et la conduisis jusqu'à la rivière souterraine. Lorsque nous fûmes sur la berge, elle se dégagea. Sur le moment, je n'y pris pas garde ; je me contentai de franchir rapidement le cours d'eau. Arrivé de l'autre côté, je m'aperçus qu'elle était toujours à la même place, fixant le flot noir.

– Viens ! criai-je. Dépêche-toi !

– Je ne peux pas, Tom ! Je ne peux pas !

Je posai la chandelle et retournai la chercher. Elle se déroba. Si elle se débattait, je n'y arriverais pas. Je l'agrippai donc fermement par le bras. Or, à l'instant où ma main la touchait, son corps s'avachit, et elle s'effondra contre moi. Sans hésiter, je la basculai sur mon épaule, comme j'avais vu l'Épouvanteur le faire pour transporter une sorcière.

Car, voyez-vous, je n'avais plus de doute : si Alice se montrait incapable de traverser une eau courante, c'est que sa rencontre avec le Fléau l'entraînait du côté de l'obscur.

Une part de moi avait envie de l'abandonner là. Ainsi aurait agi l'Épouvanteur. Pourtant, je ne pouvais m'y résoudre. Tant pis si j'allais contre les idées de mon maître ! Pour moi, elle était toujours Alice, une fille qui m'avait soutenu dans bien des épreuves.

Aussi légère qu'elle soit, la porter sur mon épaule ne me facilitait pas les choses, et j'eus du mal à garder mon équilibre en sautant de pierre en pierre. Pour tout arranger, dès que j'eus entamé la traversée, elle se mit à gémir comme si elle souffrait.

Lorsque j'atteignis enfin la rive, je la remis sur ses pieds et ramassai mon bout de chandelle.

Tremblante, elle ne bougea pas, et je dus la forcer à avancer jusqu'aux marches menant à la trappe.

De retour dans la cave, je m'assis sur le vieux tapis. Alice resta debout et s'adossa contre le mur en croisant les bras. Ni elle ni moi ne parlâmes. Il n'y avait rien à dire, et trop de soucis m'encombraient l'esprit.

J'avais dormi longtemps car, en allant jeter un coup d'œil en haut des escaliers de la cave, je constatai que le soleil commençait à descendre. Dans une demi-heure, je reprendrais la route. Or, je désirais désespérément arracher l'Épouvanteur au sort qui l'attendait ; cette pensée me rendait malade. Mais je me sentais trop démuni. Entreprendre quoi que ce soit contre des douzaines d'hommes en armes était une folie. Quant à me rendre sur la colline et assister au supplice, c'était hors de question. Je ne le supporterais pas. Non, j'allais rentrer à la maison et tout raconter à maman. Elle saurait me conseiller.

Lorsque je jugeai l'heure propice, je retirai la chaîne d'argent de sous ma chemise et la rangeai dans le sac de l'Épouvanteur, ainsi que son manteau. « Bon matériel ne se gaspille pas », disait souvent mon père. Je remis également dans leurs boîtes autant de sel et de limaille de fer que je pus en extraire de mes poches. Dans l'une d'elles, j'enfonçai le bout de chandelle. Il pourrait toujours servir.

– Viens, ordonnai-je à Alice.

Vêtu de mon manteau, chargé du sac et le bâton à la main, je montai l'escalier. Puis j'utilisai le passe-partout pour déverrouiller la porte de derrière. Nous sortîmes dans le jardin, et je redonnai un tour de clé.

– Au revoir, Alice ! dis-je, m'apprêtant à m'en aller.

– Quoi ? Tu ne viens pas avec moi, Tom ?

– Où cela ?

– Mais... au bûcher ! L'Inquisiteur ne se doute pas de ce qui l'attend. Il va payer pour ce qu'il a fait subir à ma pauvre tante.

– Et comment comptes-tu t'y prendre ?

Alice écarquilla les yeux :

– J'ai donné mon sang au Fléau, tu le sais. J'ai passé mes doigts par la grille, et il l'a aspiré sous mes ongles. S'il n'aime pas les filles, il apprécie leur sang ! Il a eu ce qu'il voulait, le pacte entre nous est scellé. Désormais, il doit obéir à ma volonté.

Les ongles de sa main gauche étaient noirs de

caillots séchés. Écœuré, je me détournai, ouvris la porte du jardin et émergeai dans la ruelle.

– Où vas-tu, Tom ? Tu ne peux pas partir maintenant ! cria-t-elle.

– Je rentre à la ferme pour parler à ma mère, répondis-je sans la regarder.

– C'est ça, va la trouver, ta mère ! Tu n'es qu'un petit garçon à sa maman, et tu le resteras !

Je n'avais pas fait dix pas qu'elle me rattrapait.

– Ne t'en va pas, Tom ! Je t'en prie, ne t'en va pas ! suppliait-elle.

Je continuai d'avancer.

Je perçus alors une vraie colère dans sa voix. Et aussi du désespoir :

– Tu ne peux pas me quitter, Tom ! Je ne te laisserai pas partir. Tu es à moi ! Tu m'appartiens !

Cette fois, je fis volte-face :

– Non, Alice ! Je ne t'appartiens pas. Je suis du côté de la lumière, et toi, tu t'es livrée à l'obscur.

Elle me saisit l'avant-bras si fort que je sentis ses ongles me pénétrer la chair. Je tressaillis de douleur, mais je la regardai dans les yeux :

– Tu n'as donc aucune conscience de ce que tu as fait ?

– Oh si, Tom ! J'en ai parfaitement conscience. Un jour, tu me remercieras. Tu te préoccupes trop de ton précieux Fléau ! Crois-moi, il n'est pas pire que l'Inquisiteur !

Lâchant mon bras, elle poursuivit :

– J'ai agi pour notre sécurité, la tienne, la mienne, et même celle du vieux Gregory.

– Le Fléau le tuera, maintenant qu'il est en liberté.

– Non, Tom, tu te trompes. Ce n'est pas le Fléau qui veut tuer le vieux Gregory, c'est l'Inquisiteur ! Au contraire, grâce à moi, le Fléau est son dernier espoir de survie.

Comme je la dévisageais, troublé, elle insista :

– Allez, Tom, viens avec moi, tu verras !

Je secouai la tête.

– Que tu viennes ou pas, reprit-elle, je le ferai quand même.

– Quoi donc ?

– Je sauverai les prisonniers de l'Inquisiteur. Tous ! Et je lui montrerai ce qu'on ressent quand on est brûlé vif !

Je la fixai d'un œil dur, mais elle ne cligna pas. La colère flambait dans ses prunelles. À cet instant, elle aurait pu soutenir le regard de l'Épouvanteur, ce dont elle était habituellement incapable. Alice disait la vérité, et je la crus. Je crus possible que le Fléau lui obéisse et nous vienne en aide. Après tout, ils avaient conclu un pacte.

S'il existait une chance, même la plus infime, de sauver l'Épouvanteur, je n'avais pas le droit de la négliger. Je ne me sentais pas du tout à l'aise de devoir m'appuyer sur un être aussi maléfique ; malheureusement, je n'avais aucune autre solution.

Alice se dirigeait déjà vers la colline du Phare. Je lui emboîtai le pas.

Les rues étaient désertes.

– Autant me débarrasser de ce bâton, dis-je. Il pourrait nous trahir.

Alice approuva de la tête et me désigna les ruines d'un vieux hangar :

– Laisse-le là-dedans. On le reprendra au retour.

Une lueur éclairait encore le ciel à l'ouest et se reflétait dans la rivière qui serpentait au pied des hauteurs de Wortham. Mon regard fut attiré par l'impressionnante colline du Phare. Des arbres, qui commençaient à perdre leurs feuilles, recouvraient le bas de la pente ; au-delà ne poussaient que de l'herbe et des buissons.

Nous dépassâmes les dernières maisons pour nous joindre à une file de gens qui traversaient l'étroit pont de pierre enjambant la rivière. Nous avancions lentement, dans l'air humide et immobile. Un brouillard blanc enveloppait la rive. Nous gravîmes la pente boisée, pataugeant dans un amas de feuilles pourrissantes. Enfin, nous atteignîmes le sommet de la colline. La foule s'y pressait, et de nouveaux curieux arrivaient sans cesse. Trois énormes tas de fagots étaient prêts à être allumés, le plus grand au milieu. Au centre de chaque bûcher se dressaient d'épais poteaux de bois, auxquels les victimes seraient attachées.

À cette altitude, d'où l'on apercevait les lumières de la ville, la température était plus fraîche. L'endroit était éclairé par des torches accrochées à de hautes perches, qui oscillaient légèrement dans la brise. Il restait cependant des flaques d'obscurité dissimulant les visages des gens. Je suivis Alice, qui se glissait de ce côté, de sorte que nous puissions voir sans être vus.

Une douzaine de costauds étaient postés dos aux bûchers. Ils portaient des cagoules noires, fendues au niveau des yeux et de la bouche, et tenaient des matraques, dont ils paraissaient tout disposés à se servir. C'étaient les bourreaux, chargés de prêter main-forte à l'Inquisiteur et, le cas échéant, de contenir la foule.

Je me demandais comment l'assistance se comporterait. Y avait-il un espoir qu'elle s'insurge ? Les proches des condamnés, parents ou amis, sans doute désireux de les sauver, étaient-ils assez nombreux pour tenter quelque chose ? Par ailleurs, comme le disait Frère Peter, beaucoup de gens aimaient le spectacle du supplice et venaient par plaisir.

À l'instant où cette pensée me traversait l'esprit, les tambours résonnèrent. *Brûlez ! Brûlez ! Brûlez ! Sorcières et sorciers, brûlez !* semblaient-ils scander.

Une rumeur courut dans la foule. Ce murmure devint un rugissement qui explosa en une cacophonie de huées et de sifflets. L'Inquisiteur approchait, dressé de toute sa taille sur son grand étalon blanc. Derrière lui cahotait la charrette transportant les prisonniers. Des cavaliers, l'épée au côté, chevauchaient de part et d'autre. À leur suite, une douzaine de tambours marchaient, bravaches, battant leur instrument d'un geste théâtral.

Brûlez ! Brûlez ! Brûlez ! Sorcières et sorciers, brûlez !

La situation me parut soudain désespérée. Les spectateurs des premiers rangs jetaient des fruits pourris sur les captifs ; cependant les gardes qui escortaient la charrette, probablement agacés d'être atteints par erreur, brandirent leurs épées et lancèrent leurs chevaux, obligeant les agresseurs à battre en retraite. D'un seul mouvement, la foule recula.

L'attelage s'arrêta, et je découvris l'Épouvanteur au milieu des autres condamnés. Certains priaient, à genoux ; d'autres pleuraient ou s'arrachaient les cheveux. Mon maître, lui, était debout, bien droit, le regard fixé devant lui. Son visage hagard était marqué par l'épuisement, et ses yeux conservaient la même expression vague qu'il avait eue au tribunal, comme s'il n'avait pas idée du sort qui l'attendait. Un nouvel hématome noircissait son front, au-dessus de l'œil gauche, et ses lèvres tuméfiées révélaient qu'on l'avait encore frappé.

Un prêtre s'avança, un rouleau à la main, et le battement des tambours se mua en un sourd roulement, qui monta crescendo avant de se taire d'un coup. Le prêtre lut alors le texte écrit sur le parchemin :

Habitants de Priestrown ! Nous sommes rassemblés ici pour assister, selon la loi, à la mort par le feu de douze sorcières et d'un sorcier, les misérables pêcheurs qui se tiennent devant vous. Priez pour eux ! Priez pour que la souffrance les amène à reconnaître leurs erreurs ! Priez pour qu'ils obtiennent le pardon de Dieu, sauvant ainsi leur âme immortelle !

Il y eut un autre roulement de tambours. Dans le silence qui suivit, le prêtre reprit :

Notre protecteur, le Grand Inquisiteur, souhaite que ce spectacle serve de leçon à ceux qui seraient attirés par le sentier des ténèbres. Regardez brûler ces pêcheurs ! Écoutez leurs os craquer ! Voyez leur graisse fondre comme le suif d'une chandelle ! Entendez leurs cris, et souvenez-vous que cela n'est rien ! Rien qui puisse se comparer aux flammes de l'Enfer ! Rien qui égale l'éternité de tourments réservée à ceux qui ne demanderont pas miséricorde !

La foule restait muette. Peut-être par peur de l'Enfer, mais plus probablement pour une autre raison, celle qui m'effrayait moi aussi : l'idée d'assister à l'horreur qui se préparait, au spectacle de ces êtres de chair et de sang livrés aux flammes pour endurer la plus atroce des agonies.

Deux bourreaux encagoulés s'avancèrent et se saisirent de la première prisonnière, une femme à l'épaisse chevelure grise qui lui descendait au-dessous de la taille. Tandis qu'ils la traînaient vers le bûcher central, elle se mit à cracher et à jurer, se débattant furieusement. Des rires et des injures jaillirent de la foule. Soudain, à la surprise de tous, la femme réussit à se libérer et courut vers la pénombre.

Avant que les gardes aient eu le temps de réagir, l'Inquisiteur lança son cheval au galop, les sabots de l'animal faisant gicler des paquets de boue. Il rattrapa la femme par les cheveux, enroula ses longues mèches autour de son poing et la tira avec une telle violence que le dos de la condamnée s'arqua. Ses pieds touchaient à peine le sol. Elle poussa un cri aigu lorsque les bourreaux la saisirent. Elle fut bientôt liée à l'un des poteaux. Son sort était scellé.

Le deuxième prisonnier à être sorti de la charrette fut l'Épouvanteur, et mon cœur sombra dans ma poitrine. On l'amena lui aussi jusqu'au grand bûcher et on l'attacha au poteau central. Il se laissait faire ; il paraissait juste étonné. Le découvrir ainsi, sans un geste de révolte devant son destin, m'était insoutenable. Certains des hommes de l'Inquisiteur portaient des torches, et je les imaginais allumant les fagots, je voyais les flammes s'élever. C'était plus que je n'en pouvais supporter. Les larmes roulèrent sur mes joues.

Je m'efforçai de me rappeler ce qu'il m'avait confié à propos de quelqu'un qui veillait sur nous et qui serait à nos côtés pour nous secourir aux heures difficiles si nous vivions avec droiture. L'Épouvanteur avait vécu ainsi toute sa vie, il avait toujours fait les choix qu'il estimait justes. Ne méritait-il pas un secours ?

Si ma famille m'avait enseigné la piété, j'aurais prié pour lui. J'ignorais comment m'y prendre ; pourtant, je me surpris à marmonner ce qui était, je le suppose, une prière :

– Aidez-le, s'il vous plaît ! S'il vous plaît, aidez-le !

Un souffle d'air frôla alors mon cou, et j'eus froid, très froid. Quelque chose approchait, surgi de l'obscur. Quelque chose de puissant, de dangereux. Alice lâcha une exclamation, puis gronda sourdement. À l'instant où je me tournais vers elle, un voile tomba devant mes yeux, et je ne distinguai plus rien. La rumeur de la foule s'atténua ; tout devint silencieux. Je me sentis coupé du reste du monde, perdu dans cette noirceur : le Fléau était là...

Je devinais une présence, un vaste esprit ténébreux, un poids énorme qui menaçait de m'ôter la vie en m'écrasant. J'étais terrifié, autant pour moi que pour ces gens réunis ici. Et je ne pouvais qu'attendre, aveugle et impuissant.

Lorsque je recouvrai la vue, Alice s'avançait. Je n'eus pas le temps de la retenir. Elle sortit de l'ombre et marcha vers le bûcher, où les bourreaux liaient l'Épouvanteur au poteau. L'Inquisiteur était là, surveillant les opérations. Quand elle s'approcha, il fit virer sa monture et l'éperonna. Le cheval partit au galop. Durant quelques secondes, je crus qu'Alice allait être piétinée. Mais l'étalon stoppa net, si près d'elle qu'elle aurait pu lui caresser les naseaux.

Un sourire cruel étira les lèvres de l'Inquisiteur quand il reconnut l'une des évadées...

Ce qui se passa alors, je ne l'oublierai jamais.

Dans le silence qui s'était abattu sur l'assistance, Alice leva les mains et pointa vers l'Inquisiteur ses deux index. Puis elle éclata d'un rire dont l'écho se répercuta sur la colline, un rire qui donnait la chair de poule, un rire triomphal, sonnant comme un défi. Cette scène était bien insolite : l'Inquisiteur s'apprêtait à brûler des innocents, accusés à tort de sorcellerie, alors que, face à lui, se tenait une vraie sorcière, libre, douée de réels pouvoirs !

Soudain, Alice se mit à tourner sur elle-même, les bras étendus. Des taches noires apparurent sur la tête et les naseaux de l'étalon blanc. Stupéfait, je ne compris pas tout de suite. Quand l'animal hennit de terreur et se dressa sur ses jambes arrière, je remarquai les gouttes de sang jaillissant de la main gauche d'Alice, ce sang dont le Fléau s'était abreuvé.

Il y eut une bourrasque, suivie d'un éclair éblouissant et d'un coup de tonnerre si violent qu'il me blessa les tympans. Je fus jeté à terre, tandis qu'autour de moi les gens criaient. Alice tourbillonnait de plus en plus vite. Le cheval de l'Inquisiteur rua, propulsant son cavalier désarçonné au milieu du grand bûcher.

Il y eut un autre éclair, et le tas de bois prit feu. Des flammes crépitantes montèrent aussitôt et l'Inquisiteur, à genoux, se trouva encerclé. Des gardes se précipitèrent pour lui prêter secours, mais la foule s'interposa. L'un d'eux fut tiré à bas de son cheval. En un instant, ce fut l'émeute. Partout, des gens se battaient, d'autres s'enfuyaient en courant ; l'air vibrait de hurlements.

Laissant tomber mon sac, je me ruai vers mon maître, car les flammes progressaient rapidement. D'un seul élan, j'escaladai le bûcher dans la chaleur dégagée par les fagots, qui s'embrasaient déjà.

Je m'attaquai aux liens, mes doigts s'acharnant sur les nœuds. Près de l'autre poteau, un homme s'efforçait de détacher la femme aux cheveux gris. Je commençai à paniquer : je n'y arrivais pas, les nœuds étaient trop serrés, et la chaleur augmentait.

Tout à coup, avec une exclamation de joie, l'homme libéra la captive. Je compris comment : il tenait un couteau. Il s'apprêtait à sauter à terre quand il me remarqua. Autour de nous, la colline retentissait de clameurs, le feu ronflait. Même en criant, je ne me serais pas fait entendre. Je tendis donc ma paume ouverte. Il marqua un temps d'hésitation, puis me lança le couteau. Pas assez fort ! Il tomba dans les flammes. Sans réfléchir, je plongeai la main entre les bûches rougeoyantes et le récupérai. Il ne me fallut que quelques secondes pour couper les cordes.

Je ressentis un extraordinaire soulagement, qui, hélas, fut de courte durée. Nous n'étions pas encore sauvés. Les hommes de l'Inquisiteur étaient partout, et nous risquions fort d'être capturés. Auquel cas nous brûlerions tous les deux...

J'entrepris d'emmener mon maître à l'abri de l'obscurité. L'opération me parut durer une éternité. L'Épouvanteur s'appuyait sur moi de tout son poids et avançait à petits pas incertains. Ne voulant pas abandonner son sac, je me dirigeai vers l'endroit où je l'avais laissé.

Nous ne dûmes qu'à la chance d'éviter les hommes de l'Inquisiteur. Les cavaliers taillaient sans distinction dans la foule, et je redoutais qu'ils nous chargent. Notre progression était de plus en plus difficile. L'Épouvanteur pesait sur mon épaule gauche, et je portais son sac, que j'avais récupéré. Puis quelqu'un vint le soutenir de l'autre côté, ce qui nous permit de gagner le couvert des arbres, et une relative sécurité.

Je découvris alors que c'était Alice.

– J'ai réussi, Tom ! me lança-t-elle, tout excitée. J'ai réussi !

Je désapprouvais sa méthode et n'osai lui montrer ma joie.

– Où est le Fléau ? lui demandai-je.

– Ne t'inquiète pas de ça, Tom. Je sais quand il est proche ; or, là, je ne sens plus sa présence. Comme il a dû dépenser une grande partie de son énergie en répondant à mon appel, je suppose qu'il a regagné l'obscur pour restaurer ses forces.

Cette idée me déplaisait au plus haut point.

– Et l'Inquisiteur ? Il est mort ?

Alice secoua la tête :

– Non, hélas ! Il s'est brûlé les mains en tombant sur le bûcher, c'est tout. Au moins, il aura connu la morsure du feu !

À ces mots, j'eus conscience de la brûlure de ma propre main, la gauche, celle qui soutenait mon maître. J'y jetai un regard : le dessus était à vif, couvert de cloques. À chaque instant, la douleur augmentait.

Nous franchîmes le pont au milieu d'une incroyable bousculade. Les gens couraient, affolés, pressés de fuir les bagarres et d'échapper aux représailles qui s'ensuivraient. Les hommes de l'Inquisiteur ne tarderaient pas à se regrouper pour rattraper les prisonniers et châtier ceux qui auraient joué un rôle dans leur évasion. Quiconque se trouvant sur leur route en pâtirait.

Bien avant l'aube, nous étions loin de Priestown. Nous passâmes les premières heures du jour dans une bergerie délabrée, craignant à tout instant que surgissent des gardes lancés à notre poursuite.

L'Épouvanteur n'avait pas prononcé un mot, pas même après que je lui eus rendu son bâton, que j'avais récupéré en chemin. Son regard restait vide, comme si son esprit était ailleurs. Cela m'inquiétait de plus en plus. Les coups qu'il avait reçus l'avaient mis dans un triste état. Je ne voyais qu'une solution.

– Emmenons-le à la ferme, proposai-je. Ma mère saura le soigner.

– Je doute qu'elle soit ravie de me revoir, objecta Alice. Pas plus que ton frère. Surtout quand ils apprendront ce que j'ai fait.

J'approuvai de la tête. Alice avait raison : mieux valait qu'elle ne vienne pas avec moi. J'avais cependant besoin de son aide pour soutenir l'Épouvanteur, qui n'était guère solide sur ses jambes.

La douleur à ma main m'arracha une grimace.

– Qu'est-ce qui ne va pas, Tom ?

Elle remarqua alors mes brûlures et les examina de plus près.

– Je vais t'arranger ça, dit-elle. Ce ne sera pas long...

– Non, Alice, ne sors pas ! C'est trop dangereux !

Sans m'écouter, elle se glissa hors de la bergerie. Dix minutes plus tard, elle revenait avec des écorces et les feuilles d'une plante qui m'était inconnue. Elle mâcha l'écorce jusqu'à la réduire en une pâte fibreuse.

– Tends ta main ! m'ordonna-t-elle.

– Qu'est-ce que c'est ? demandai-je, soupçonneux.

Cependant, j'avais si mal que j'obtempérai.

Elle étala la pâte d'écorce sur ma brûlure et m'enveloppa la main avec les feuilles. Puis, avec un fil noir qu'elle tira du tissu de sa robe, elle attacha ce pansement de fortune.

– C'est Lizzie qui m'a appris, m'expliqua-t-elle. Tu vas te sentir très vite soulagé.

J'étais sceptique ; pourtant, presque tout de suite, la douleur s'atténua. Ce remède enseigné à Alice par une sorcière était efficace !

La façon dont va le monde est parfois étrange. Du mal peut surgir un bien. Et ma main n'en était pas l'unique preuve. Parce qu'Alice avait conclu un pacte avec le Fléau, l'Épouvanteur avait été délivré.

14

Le récit de mon père

Nous arrivâmes en vue de la ferme peu avant le coucher du soleil. À cette heure, papa et Jack s'occupaient de la traite ; c'était le moment propice pour parler à maman seul à seule.

Je n'étais pas revenu à la maison depuis le printemps, l'époque où Mère Malkin, cette redoutable sorcière, s'était introduite chez nous. Grâce au courage d'Alice, nous avions réussi à la détruire, mais ces événements avaient profondément troublé Jack et Ellie, son épouse, et ils n'apprécieraient pas que je sois à la maison après la tombée de la nuit. Mon travail les terrifiait, et ils craignaient qu'un malheur n'arrive à leur petite fille. Aussi prévoyais-je de reprendre la route dès que j'aurais trouvé le moyen d'aider mon maître.

J'avais conscience de mettre la vie des miens en danger en amenant Alice et M. Gregory à la ferme. Si les hommes de l'Inquisiteur étaient à nos trousses, ils n'auraient aucune pitié pour des gens abritant une sorcière et un épouvanteur. Pour éviter les risques inutiles, je les installai dans une hutte de berger, inoccupée depuis des années, située à la lisière de nos terres. Elle appartenait à des fermiers voisins, qui n'avaient plus de troupeaux. Après les avoir priés de m'attendre là, je coupai à travers champs et me dirigeai vers notre ferme.

Quand j'ouvris la porte de la cuisine, je découvris maman assise dans son rocking-chair, à sa place favorite, au coin du feu. Sans se balancer, elle me regardait entrer. Les rideaux étaient déjà tirés, et les bougies de cire, allumées dans le grand chandelier de cuivre.

D'une voix douce, elle dit :

– Prends une chaise, viens près de moi et raconte !

Mon arrivée ne la surprenait pas le moins du monde. J'y étais habitué. Les femmes des environs faisaient souvent appel à ma mère en cas de naissance difficile, et, curieusement, elle savait si quelqu'un avait besoin d'aide bien avant que le message lui parvienne. De la même façon, elle avait pressenti que j'approchais. Maman n'était pas une personne ordinaire ; elle possédait des dons qui l'auraient rendue fort suspecte aux yeux de l'Inquisiteur !

– Il s'est passé une chose grave, n'est-ce pas ? Et qu'est-il arrivé à ta main ?

– Ce n'est rien, maman. Une simple brûlure. Alice m'a soigné, je n'ai plus mal.

Au nom d'Alice, elle haussa les sourcils :

– Je t'écoute, mon fils !

Je hochai la tête, une boule dans la gorge. Je dus m'y reprendre à trois fois avant de prononcer ma première phrase. Quand je parvins à m'exprimer, mon récit sortit d'une traite.

– Ils ont failli brûler M. Gregory. L'Inquisiteur l'a arrêté à Priestown. Nous nous sommes enfuis, mais on nous recherche, et l'Épouvanteur ne va pas bien. Il faut le secourir. Et nous secourir aussi.

J'acceptai enfin de m'avouer à moi-même ce qui me perturbait le plus, et mes larmes débordèrent : si j'avais d'abord refusé d'aller jusqu'au bûcher, c'était simplement parce que j'avais eu peur, peur de me faire prendre et d'être brûlé moi aussi !

– Que diable faisiez-vous à Priestown ?

– Le frère de M. Gregory est mort, et son enterrement avait lieu là-bas. Nous devions nous y rendre.

– Tu ne m'as pas tout dit. Comment avez-vous échappé à l'Inquisiteur ?

Je ne tenais pas à ce que ma mère apprenne le rôle d'Alice dans cette histoire ; j'aurais préféré qu'elle ignore de quelle façon cette fille, qu'elle avait défendue, avait fait alliance avec l'obscur, ainsi que l'Épouvanteur l'avait redouté. N'ayant toutefois guère le choix, je lui contai l'affaire.

Lorsque j'eus terminé, elle poussa un profond soupir :

– Voilà qui est inquiétant, très inquiétant. Le Fléau en liberté, ça ne présage que du malheur pour les gens du Comté, d'autant qu'il a soumis une jeune sorcière à sa volonté. Nous sommes en danger. Alors, tâchons d'agir au mieux ! Je prends mon sac et je vais voir ce que je peux faire pour ce pauvre M. Gregory.

– Merci, maman !

Réalisant soudain que je n'avais parlé que de mes propres problèmes, j'ajoutai :

– Et comment ça va, ici ? Comment va le bébé d'Ellie ?

Maman sourit, avec cependant une pointe de tristesse dans le regard :

– Oh, la petite va bien ! Ellie et Jack sont heureux.

Elle se pencha et posa doucement la main sur mon bras :

– Mais j'ai de mauvaises nouvelles pour toi, Tom. Cela concerne ton père. Il est très malade.

Je me levai, incrédule et bouleversé ; à l'expression du visage de ma mère, je devinai que c'était grave.

– Assieds-toi, mon fils, reprit-elle, et écoute-moi attentivement avant de t'affoler. Si son état est sérieux, ça aurait pu être pire. Il a attrapé un gros rhume, qui a touché les poumons et évolué en pneumonie. Nous avons failli le perdre. Il se remet, à présent ; il devra néanmoins rester au chaud cet hiver. Je crains qu'il ne puisse plus beaucoup s'occuper de la ferme. Jack sera obligé de se débrouiller sans lui.

– Je pourrais l'aider, maman.

– Non, Tom. Tu as ton travail. Avec le Fléau en liberté et ton maître affaibli, le Comté a plus que jamais besoin de toi. Laisse-moi le temps d'annoncer à ton père que tu es là. Je ne lui dirai rien de tes soucis. Inutile de l'inquiéter ou de lui causer un choc. Nous garderons cela pour nous.

J'attendis dans la cuisine. Quelques minutes plus tard, maman redescendait, son sac à la main.

– Je vais m'occuper de ton maître. Monte voir ton père ! Il est heureux que tu sois revenu. Ne lui parle pas trop longtemps, il est encore très faible.

Papa était assis dans son lit, appuyé contre des oreillers. Il eut un pâle sourire en me voyant entrer. Son visage émacié et la barbe grise qui lui mangeait le menton le faisaient paraître plus vieux qu'il n'était.

– Quelle bonne surprise, Tom ! Installe-toi ! fit-il en désignant d'un mouvement de tête une chaise près du lit.

– Je suis désolé, dis-je. Si j'avais su que tu étais malade, je serais venu plus tôt.

Papa leva la main comme pour signifier que peu importait. Puis une toux violente le secoua. S'il allait mieux, qu'est-ce que cela devait être avant !

Une odeur particulière flottait dans la pièce, ce relent douceâtre propre aux chambres de malades.

– Comment va ton travail ? me demanda-t-il quand la quinte cessa enfin.

– Ça va. Je m'y habitue, et ça me plaît davantage que les tâches de la ferme, répondis-je en repoussant au fond de mon esprit ce que je venais de vivre.

– C'est plus amusant que d'être fermier, hein ? me taquina-t-il avec un sourire. Tu sais que, moi-même, je n'ai pas toujours travaillé la terre...

Je hochai la tête. Dans sa jeunesse, Papa avait été marin. Il avait souvent évoqué les endroits qu'il avait visités. C'étaient de superbes récits, palpitants et hauts en couleur. Quand il se rappelait cette époque révolue, ses yeux brillaient d'un éclat singulier. J'eus envie de le revoir s'allumer :

– Oh oui, papa ! Raconte-moi une de tes histoires ! Celle de l'énorme baleine !

Il resta un instant silencieux, puis il me prit la main pour m'attirer plus près de lui :

– Il y en a une qu'il faut que je te transmette, fils, avant qu'il soit trop tard.

– Ne dis pas de bêtises, protestai-je, inquiet du tour que prenait la conversation.

– Non, Tom. Je compte bien voir encore un printemps et un été, mais mon séjour en ce monde touche à sa fin. J'ai beaucoup réfléchi dernièrement, et j'en ai conclu qu'il était temps de te faire certaines révélations. Je ne pensais pas en avoir l'occasion de si tôt ; puisque tu es là, je vais en profiter, car qui sait quand je te reverrai ?

Il marqua une pause, puis il poursuivit :

– C'est à propos de ta mère, de notre rencontre...

– Tu verras d'autres printemps, papa ! m'écriai-je.

Cependant, j'étais surpris. De toutes les merveilleuses histoires de mon père, il y en avait une, justement, qu'il ne nous avait pas contée : celle de sa rencontre avec maman. Il n'était jamais disposé à en parler. Si on l'interrogeait, soit il changeait de sujet, soit il nous envoyait le demander à notre mère. Nous n'avions pas osé. Il y a des choses qu'on ne comprend pas, quand on est enfant, mais on ne pose pas de questions. On sait d'instinct que les parents n'ont pas envie d'y répondre. Aujourd'hui, c'était différent.

Il secoua la tête d'un air las, puis la laissa tomber comme si un lourd fardeau pesait sur ses épaules. Quand il se redressa, il souriait faiblement :

– Je ne suis pas sûr qu'elle m'approuverait ; aussi, que cela reste entre nous ! Je ne dirai rien non plus à tes frères, et je te demande de ne pas leur en parler, fils. Mais je pense au genre de travail auquel tu es destiné, étant le septième fils d'un septième fils, tout ça, et...

Il se tut de nouveau et ferma les paupières. Je le regardai, et une vague de tristesse me submergea, tant il avait l'air vieux et malade. Enfin, il rouvrit les yeux et entama son récit, très vite, de peur, peut-être, de changer d'avis :

– Le bateau où j'étais matelot avait accosté dans un petit port pour s'approvisionner en eau. C'était un lieu isolé, dominé par de hautes collines rocheuses. On n'y trouvait que la demeure du commandant du port et quelques petites maisons de pêcheurs. Nous naviguions depuis des semaines, et le capitaine, qui était un brave homme, décréta que nous avions besoin de repos. Il nous autorisa donc à aller à terre. Nous nous séparâmes en deux équipes d'une douzaine d'hommes. Je faisais partie de la seconde, qui quitta le navire à la nuit tombée.

« Quand nous pénétrâmes dans la plus proche taverne, à l'entrée d'un village, à mi-chemin de la montagne, elle était sur le point de fermer. Nous bûmes rapidement, jetant l'alcool au fond de nos gosiers comme si c'était notre dernière beuverie, et nous achetâmes chacun un cruchon de vin pour le vider au retour.

« Je bus sûrement un peu trop... Je me réveillai sur le bord du sentier pentu qui descendait au port. Le soleil était sur le point de se lever, ce qui ne m'inquiéta pas trop : nous ne devions pas reprendre la mer avant midi. Je me remis sur mes pieds, secouai la poussière de mes habits. C'est alors que j'entendis des sanglots à quelque distance de là.

« Je restai une bonne minute à écouter, avant de me décider. Ça ressemblait à des pleurs de femme, mais je me méfiais. J'avais entendu d'étranges rumeurs sur ces régions, à propos de créatures qui s'attaquaient aux voyageurs. J'étais seul et, autant te l'avouer, j'avais peur. Dire que, si je n'avais pas cherché à savoir qui pleurait, je n'aurais pas connu ta mère, et tu ne serais pas là aujourd'hui !

« Je gravis péniblement la pente raide jusqu'au sommet d'une crête en suivant le sentier, qui me mena, de l'autre côté, au bord d'une haute falaise. Les vagues s'écrasaient sur les rochers en contrebas, et je vis notre bateau ancré dans la baie. Il me parut tout petit, à croire qu'il aurait pu tenir dans la paume de ma main !

« Une corniche saillait de la falaise, telle une dent dans la mâchoire d'un rat ; une jeune fille y était assise face à la mer, le dos contre la paroi, enchaînée au rocher. Et elle était aussi nue qu'au jour de sa naissance.

À ces mots, le visage de papa s'empourpra comme une robe de cardinal.

– Elle m'aperçut et me cria je ne sais quoi. À ses mimiques, je devinai que quelque chose l'effrayait, quelque chose de pire que d'être attachée à ce rocher. Elle parlait dans sa langue, que je ne comprenais pas. Je ne la comprends toujours pas, d'ailleurs ! À toi, elle te l'a enseignée, à toi seul. C'est une bonne mère ; pourtant tes frères n'ont pas eu le droit d'apprendre un mot de grec !

Je hochai la tête. Certains en avaient été jaloux, surtout Jack, ce qui ne m'avait pas simplifié la vie.

– Je n'entendais rien à ses paroles, reprit mon père, cependant il était clair que ce qui la terrifiait venait de la mer. Je n'avais aucune idée de ce que ça pouvait être. Puis le disque du soleil émergea à l'horizon, et elle hurla.

« Je n'en crus pas mes yeux : de minuscules cloques se formèrent sur sa peau, et, en quelques instants, son corps ne fut qu'une plaie. C'était le soleil qui l'épouvantait ! Tu l'as probablement remarqué, elle évite toujours de rester dehors, même sous la lumière timide de notre Comté. Or, dans ce pays-là, le rayonnement était féroce. Je sus que, si je ne l'aidais pas, elle mourrait. »

Il s'arrêta pour reprendre haleine, et je pensai à maman. Je n'ignorais pas qu'elle craignait le soleil, et j'avais toujours considéré cela comme naturel.

– Je devais agir vite, continua Papa. J'ôtai ma chemise pour l'en couvrir. Elle n'était pas assez grande ; j'ajoutai mon pantalon et je m'accroupis devant elle, dos au soleil, pour la protéger de mon ombre.

« Je demeurai dans cette position jusqu'à midi passé, quand le soleil disparut derrière la montagne. Mon bateau avait levé l'ancre sans moi ; mon dos était rouge brique, mais ta mère était vivante, et les cloques s'étaient résorbées. Je m'efforçai alors de délier ses chaînes. Celui qui les avait attachées s'y connaissait mieux en nœuds que moi, qui étais pourtant marin ! Lorsque que je parvins enfin à la libérer, je découvris une chose si cruelle que j'eus peine à y croire. Ta mère... C'est une femme si bonne ! Comment avait-on pu lui faire ça ?

Papa se tut, la tête baissée, plongé dans ses souvenirs, et je vis que ses mains tremblaient. J'attendis une longue minute, puis le pressai doucement :

– Que veux-tu dire, papa ? Que lui avait-on fait ?

Il releva la tête ; ses yeux étaient remplis de larmes.

– On lui avait cloué la main gauche au rocher, avec un clou énorme, et je craignais de la blesser davantage en l'arrachant. Alors, elle sourit et dégagea sa main d'un coup, laissant le clou dans le roc. Sans s'inquiéter de son sang, qui ruisselait sur le sol, elle se leva et s'avança vers moi, comme si de rien n'était. Je reculai et faillis basculer du haut de la falaise. Elle me retint en me saisissant l'épaule, et elle m'embrassa.

« Comme tous les marins qui font escale chaque année dans des dizaines de ports, j'avais déjà embrassé des femmes, mais le plus souvent j'avais ingurgité des pintes de bière et j'étais saoul. Je ne peux l'expliquer, mais je sus à cet instant qu'elle était celle qui m'était destinée. La femme avec qui je vivrais le reste de mes jours.

Il recommença à tousser, et sa quinte dura long-temps. La crise le mit hors d'haleine. Il lui fallut plusieurs minutes pour reprendre la parole. J'aurais dû le laisser se reposer ; toutefois, je songeai que l'occasion ne se représenterait peut-être pas, en effet. Mon esprit travaillait à toute vitesse. Certains points du récit de mon père me rappelaient ce que l'Épouvanteur avait écrit à propos de Meg. Elle aussi avait été attachée avec une chaîne. Elle aussi, quand il l'avait libérée, l'avait embrassé. Je me demandais si la chaîne qui avait lié maman était une chaîne d'argent, sans oser poser la question. Je n'étais pas sûr de vouloir entendre la réponse. Si papa avait cru bon que je le sache, il l'aurait précisé.

– Qu'est-il arrivé ensuite ? m'enquis-je. Comment as-tu réussi à revenir au pays ?

– Ta mère était riche. Elle vivait seule dans une grande maison, au milieu d'un jardin entouré d'un haut mur, à un mille à peine de la falaise où je l'avais trouvée. Nous nous y rendîmes, et j'y demeurai. Sa main guérit très vite, sans garder la moindre cicatrice. Je lui appris notre langue. Ou, plus exactement, elle m'apprit à la lui enseigner. Je désignais des objets en prononçant leur nom. Quand elle les avait correctement répétés, j'approuvais d'un signe de tête. Une seule fois suffisait ; ta mère a l'esprit vif, tu sais ! Plus que vif ! C'est une femme d'une grande intelligence, qui n'oublie jamais rien.

« Nous passâmes plusieurs semaines dans cette maison, et j'y étais heureux, sauf certaines nuits étranges, où ses sœurs, deux grandes femmes d'allure sauvage, venaient la voir. Elles allumaient un feu dans le jardin, derrière la maison, et discutaient avec ta mère jusqu'à l'aube. Parfois, elles dansaient autour du feu, ou bien elles jouaient aux dés. Mais, à chacune de leurs visites, il y avait des disputes, de plus en plus violentes. Je savais que j'en étais la cause, car ses sœurs me jetaient des regards furieux quand je les observais par la fenêtre, et ta mère me faisait signe de reculer. Non, elles ne me portaient pas dans leur cœur ; c'est pourquoi nous finîmes par quitter cette maison pour venir nous installer dans le Comté.

« J'en étais parti comme matelot louant ses services à un capitaine, j'y revins en homme du monde. Ta mère paya notre voyage ; nous avions une cabine pour nous seuls. Plus tard, elle acheta cette ferme, et nous nous mariâmes dans la petite église de Mellor, près de laquelle reposent mes parents. Ta mère n'est pas croyante ; elle le fit pour moi, pour éviter les bavardages des voisins. Avant la fin de l'année, ton frère Jack était né.

« J'ai eu une belle vie, fils, et la meilleure part a commencé le jour où j'ai rencontré ta mère. Je te raconte cela afin que tu comprennes : tu devines, n'est-ce pas, qu'un jour, lorsque je ne serai plus là, elle retournera chez elle, dans ce pays auquel elle appartient ?

La stupeur me laissa bouche bée.

– Et sa famille ? soufflai-je. Elle n'abandonnera pas ses petits-enfants !

Papa secoua tristement la tête :

– Je crains qu'elle n'ait pas le choix, fils. Elle m'a confié un jour qu'un « travail à terminer » l'attendait là-bas. J'ignore de quoi il s'agit, et elle ne m'a jamais dit pourquoi on avait voulu la faire mourir en l'enchaînant à ce rocher. Elle possède un monde à elle, une vie à elle, et, le moment venu, elle y retournera. Aussi, ne lui rends pas la tâche plus difficile. Regarde-moi, fils. Que vois-tu ?

Je ne sus que répondre.

– Tu vois un vieil homme qui n'a plus beaucoup de temps à vivre. J'en ai la certitude chaque fois que le miroir me renvoie mon image, et n'essaie pas de me dire le contraire ! Ta mère, elle, est encore dans la fleur de l'âge. Si elle n'est plus la jeune fille d'autrefois, elle a encore de belles années devant elle. Sans les circonstances extraordinaires où elle m'a rencontré, elle ne m'aurait pas accordé un regard. Elle mérite de retrouver sa liberté, et tu devras la laisser s'en aller avec le sourire. Me le promets-tu, fils ?

J'acquiesçai d'un hochement de tête et restai près de lui jusqu'à ce qu'il s'apaise et s'endorme.

15

La chaîne d'argent

Lorsque je redescendis, Maman était de retour. J'avais hâte de savoir comment allait l'Épouvanteur, mais je n'eus pas le temps de la questionner. Par la fenêtre de la cuisine, j'aperçus Jack qui traversait la cour en compagnie d'Ellie, son bébé dans les bras.

– J'ai fait ce que j'ai pu pour ton maître, me chuchota maman, juste avant que mon frère ouvre la porte. Nous en reparlerons après le souper.

En me voyant, Jack s'immobilisa un instant sur le seuil, les sourcils froncés, et je lus sur son visage des sentiments contradictoires. Finalement, il sourit et vint m'entourer les épaules de son bras :

– Ça fait plaisir de te voir, Tom !

– Je passais par là en retournant à Chipenden, prétendis-je. J'ai décidé d'en profiter pour prendre de vos nouvelles. Je serais venu plus tôt si j'avais su que papa était malade...

– Il se remet, m'assura mon frère. C'est ce qui compte.

– Oh oui, Tom ! Il va beaucoup mieux, renchérit Ellie. Dans quelques semaines, il se portera comme un charme.

La tristesse qui marquait le visage de maman disait tout autre chose. La vérité, c'était que papa aurait bien de la chance s'il voyait le prochain printemps. Elle le savait, et moi aussi.

Au souper, chacun garda un air contraint. Était-ce ma présence ou l'état de papa qui rendait les uns et les autres aussi peu bavards ? Jack ne m'adressait que de vagues signes de tête, et, quand il parlait, le ton était sarcastique :

– Tu es pâlichon, Tom. Ça ne te réussit pas, de rôder sans cesse dans l'obscurité !

– Ne sois pas méchant, Jack ! le réprimandait Ellie.

Se tournant vers moi, elle demanda :

– Comment trouves-tu notre petite Mary ? Elle a été baptisée le mois dernier. Elle a bien grandi depuis ta dernière visite, n'est-ce pas ?

J'approuvai de la tête en souriant. La transformation du bébé me stupéfiait. Ce n'était plus cette minuscule chose au visage rouge et fripé. Elle était rondelette, elle avait des jambes vigoureuses, un visage éveillé et curieux. Elle semblait prête à quitter les genoux de sa mère pour crapahuter sur le carrelage de la cuisine.

Je n'avais pas faim, en arrivant. Pourtant, lorsque mon assiette fut remplie d'une généreuse portion de ragoût fumant, je l'attaquai avec appétit.

Le souper à peine achevé, maman sourit à Jack et à Ellie en déclarant :

– J'ai à parler avec Tom. Profitez-en ! Montez vous coucher de bonne heure, pour une fois ! Et ne t'inquiète pas de la vaisselle, Ellie, je m'en occuperai.

Jack n'avait pas terminé son ragoût, et son regard alla de maman à son assiette. Ellie s'étant déjà levée, mon frère l'imita à contrecœur.

– Je vais d'abord faire un tour avec les chiens jusqu'à la barrière, dit-il. Il y avait un renard dans les parages, la nuit dernière.

Dès qu'ils eurent quitté la pièce, la question qui me brûlait les lèvres jaillit :

– Comment va M. Gregory, maman ? Est-ce qu'il s'en sortira ?

– J'ai fait ce que j'ai pu. Les blessures à la tête guérissent le plus souvent d'elles-mêmes, d'une façon ou d'une autre. Le temps devrait faire son œuvre. Ramène-le à Chipenden ! Le plus tôt sera le mieux. Il est le bienvenu ici ; mais je dois respecter les souhaits de Jack et d'Ellie.

J'acquiesçai, fixant tristement la table.

– Encore un peu de ragoût, Tom ?

Il n'était pas nécessaire de me le demander deux fois. Maman me resservit, et je me jetai sur mon assiette avec un entrain qui la fit sourire.

– Je monte un instant voir si ton père n'a besoin de rien, m'annonça-t-elle.

Elle redescendit presque aussitôt :

– Ça va, il s'est rendormi.

Elle s'assit en face de moi et me regarda manger, l'air grave. Soudain, elle reprit :

– Ces blessures qu'Alice porte aux doigts... C'est le Fléau qui les lui a infligées ?

Je hochai la tête.

– Tu fais encore confiance à cette fille, après ce qui est arrivé ?

– Je ne sais pas, fis-je en haussant les épaules. Elle a conclu un pacte avec l'obscur, mais, sans elle, l'Épouvanteur aurait péri, et beaucoup d'innocents avec lui.

Maman soupira :

– C'est une sale affaire, et je ne suis pas certaine d'y voir clair. J'aurais aimé venir avec toi pour t'aider à ramener ton maître à Chipenden, car le voyage ne sera pas facile. Seulement, il m'est impossible de laisser ton père. Sans des soins constants, il pourrait y avoir une rechute, et je ne veux pas courir ce risque.

Ayant saucé mon assiette, je repoussai ma chaise :

– Je crois que je ferais mieux de partir, maman. En m'attardant, je vous mets en danger. L'Inquisiteur n'abandonnera pas la poursuite comme ça ! De plus, le Fléau est en liberté, et il a goûté au sang d'Alice. Je ne tiens pas à l'attirer ici.

– Attends que je te prépare quelques tranches de pain et de jambon pour la route !

– Merci, maman !

Je la regardai tailler dans la miche, regrettant de ne pouvoir rester plus longtemps. Ç'aurait été si bon d'être à la maison, même pour une nuit !

– Tom, dans son enseignement sur les sorcières, M. Gregory a-t-il évoqué les *familières* ?

Je fis signe que oui. Il existe plusieurs catégories de sorcières, qui puisent leur pouvoir de différentes sources. Certaines utilisent la magie des ossements, d'autres celle du sang. Il m'avait parlé récemment d'une troisième catégorie, plus dangereuse, usant de ce qu'on appelle la « magie familière ». Ces sorcières prennent un peu de sang à un être quelconque – chat, crapaud ou chauve-souris –, qui dès lors leur prête ses yeux et ses oreilles et leur obéit en tout. Mais il arrive que les sorcières tombent sous l'emprise de ces bêtes et perdent leur volonté propre.

– Eh bien, reprit maman, c'est le cas d'Alice, Tom : elle pratique la magie familière. Elle a conclu un pacte avec ce démon, et croit le manipuler à sa guise. C'est un jeu dangereux, mon fils, car le Fléau est autrement puissant ! Si elle n'est pas vigilante, c'est elle qui sera bientôt aux mains de la créature, et tu ne pourras plus lui accorder ta confiance. Du moins, tant que le Fléau ne sera pas détruit.

– Selon M. Gregory, il est prêt à retrouver sa forme originelle. Je l'ai vu, dans les catacombes ! Il avait emprunté les traits de l'Épouvanteur, et il a tenté de me duper. Il est sûrement plus fort encore, maintenant qu'il a goûté au sang d'Alice.

– C'est tout à fait vrai. Toutefois, il lui a fallu dépenser une grande quantité d'énergie pour s'évader d'un lieu où il était retenu depuis si longtemps. Il doit se sentir perdu, désemparé. Il est probablement redevenu un esprit, trop affaibli pour se revêtir de chair. Il ne récupérera ses pleines capacités qu'une fois son pacte de sang accompli.

– Peut-il voir par les yeux d'Alice ?

Cette idée me terrifiait. J'allais bientôt voyager en compagnie de cette fille, la nuit. Je me rappelais l'horrible sensation du Fléau pesant sur ma tête et mes épaules, lorsque j'avais cru ma dernière heure arrivée. Peut-être serait-il plus prudent d'attendre le matin...

– Non, pas déjà. Elle lui a fait don de son sang et lui a offert la liberté. En échange, il a promis d'exaucer trois vœux ; à chaque souhait réalisé, il lui prendra un peu plus de sang. Exténuée, elle aura de plus en plus de mal à lui résister. Elle l'a abreuvé de nouveau pour obtenir son intervention au bûcher de Wortham. Si elle le fait encore, il verra par ses yeux. Une dernière fois, et elle lui appartiendra. Il sera alors assez fort pour retrouver sa véritable apparence, et rien ni personne ne sauvera plus Alice.

– Où qu'elle soit, il la cherchera ?

– Oui. Dans les premiers temps, à moins qu'elle ne l'attire, ses chances de la retrouver seront minces. En particulier tant qu'elle se déplacera. Mais qu'elle demeure en un même lieu, et il la localisera. Ses forces augmenteront de nuit en nuit, surtout s'il s'empare d'une nouvelle victime. N'importe quel sang l'y aidera, animal ou humain ; il est aisé de terroriser quelqu'un qui est seul dans le noir, de le plier à sa volonté. Il finira par rejoindre Alice ; après quoi, il l'accompagnera en permanence, sauf pendant le jour, où il se réfugiera sous terre. Les créatures de l'obscur s'aventurent rarement à la lumière. Aussi longtemps que ce démon sera en liberté, chacun, dans le Comté, vivra dans la peur dès la tombée de la nuit.

– Connais-tu le début de cette affaire, maman ?
M. Gregory m'a raconté que Heys, le souverain du
Petit Peuple, avait dû sacrifier ses fils au Fléau, et
que le plus jeune était parvenu, on ne sait comment,
à l'entraver.

– C'est une histoire sinistre. Ce qu'ont subi les
fils du roi dépasse l'entendement. Toutefois, mieux
vaut que tu sois au courant, pour comprendre ce
que tu auras à affronter. Le Fléau vivait sous les
tumulus de Heysham, parmi les ossements des morts.
Il y entraîna d'abord le fils aîné pour se divertir, le
dépouillant de ses pensées et de ses rêves, le plongeant dans la détresse la plus noire. Il fit subir un
sort identique aux fils cadets, les uns après les autres.
Imagine la souffrance de leur père ! Tout roi qu'il
était, il ne pouvait rien pour eux !

Maman poussa un soupir lourd de tristesse :

– Aucun des fils de Heys ne résista plus d'un
mois à de tels tourments. Trois d'entre eux se précipitèrent du haut d'une falaise et s'écrasèrent sur les
rochers en contrebas. Deux autres se laissèrent
mourir de faim. Le sixième se jeta à la mer et nagea
jusqu'à ce que les forces lui manquent et qu'il se noie.
Son corps fut ramené sur le rivage par la marée du
printemps. Tous sont enterrés dans des tombeaux
creusés à même le roc. Une autre tombe contient le
corps de leur père, qui mourut peu après, le cœur

brisé. Seul Maze, son septième fils, le dernier de ses enfants, lui survécut.

« Le roi était un septième fils, lui aussi. Et Maze, comme toi, avait le don. Il était particulièrement petit ; pourtant, le sang de ses ancêtres coulait avec vigueur dans ses veines. Il réussit à entraver le Fléau, nul ne sait comment, pas même ton maître. Au bout du compte, la créature le tua en le pressant contre le sol de pierre des catacombes. Des années plus tard, ses restes rappelant au Fléau sa défaite, celui-ci brisa ses os en morceaux et les fit passer entre les barreaux de la Grille d'Argent. C'est ainsi que le Petit Peuple put lui donner une sépulture. Il repose non loin de ses frères, en ce lieu qui fut appelé Heysham en l'honneur de l'ancien roi.

Nous demeurâmes un moment sans parler. C'était en effet une histoire sinistre.

Rompant le silence, je demandai :

– Comment arrêter le Fléau, à présent qu'il est en liberté ? Comment le détruire ?

– Laisse ça à M. Gregory, Tom ! Aide-le seulement à regagner Chipenden et à se remettre. Alors, il s'en occupera. Le plus simple serait de l'entraver de nouveau, mais cela ne l'empêcherait pas d'exercer sa malignité comme il l'a fait ces dernières années. Si, au fond des catacombes, il a su regagner autant d'énergie, il recommencera là aussi. Cette solution n'est pas assez radicale. C'est à ton maître de découvrir le moyen de le mettre hors d'état de nuire, pour notre salut à tous.

– Et s'il ne guérit pas ?

– Espérons que si, car cette tâche n'est pas de ta compétence. Pas encore. Vois-tu, mon fils, où que soit Alice, le Fléau l'utilisera pour faire du mal, et ton maître n'aura sans doute d'autre alternative que d'enfermer cette fille dans une fosse.

Ma mère parut troublée. Elle porta une main à son front en fermant les yeux, comme prise d'un brusque mal de tête.

– Ça va, maman ? murmurai-je, anxieux.

Elle hocha la tête en esquissant un sourire. Puis elle dit :

– Attends encore un instant, Tom. Je dois rédiger une lettre.

– Une lettre ? Pour qui ?

– Nous en parlerons quand je l'aurai terminée.

J'allai m'installer près du feu. Le regard fixé sur les braises, je me demandai ce qu'elle pouvait bien écrire. Lorsqu'elle revint, elle s'assit dans son rocking-chair et me tendit une enveloppe cachetée. Je lus :

À mon *plus jeune fils, Thomas J. Ward*

J'étais étonné. J'avais imaginé une missive adressée à l'Épouvanteur, qu'il lirait quand il serait rétabli.

242

– Pourquoi m'écrire, maman ? Pourquoi ne pas me dire les choses maintenant ?

– Parce que tous nos actes, même les plus minimes, ont une influence, me répondit-elle en posant doucement la main sur mon bras. Il est dangereux de voir l'avenir, et plus dangereux encore de révéler ce qu'on a vu. Ton maître a son propre chemin à tracer. Chacun de nous a le sien. Mais l'obscur nous menace, et il est de mon devoir d'user de tout mon pouvoir pour empêcher le pire. N'ouvre cette lettre qu'en cas d'extrême nécessité. Suis ton instinct. Lorsque ce moment sera venu, tu le sauras, même si je prie pour qu'il ne survienne jamais. En attendant, garde-la en sécurité.

Docilement, je glissai l'enveloppe dans ma veste.

– À présent, reprit maman, suis-moi ! J'ai quelque chose d'autre pour toi.

Au ton de sa voix et à son air mystérieux, je devinai où elle me conduisait.

Je ne m'étais pas trompé.

Empoignant le chandelier de cuivre, elle monta à son cagibi, la pièce personnelle, au-dessous du grenier, qu'elle tenait fermée à clé. Personne d'autre que ma mère n'y pénétrait, pas même papa. Tout petit, je l'y avais accompagnée une ou deux fois, et c'était à peine si je m'en souvenais.

Prenant une clé dans sa poche, elle déverrouilla la serrure, et j'entrai avec elle. La pièce était pleine de caisses et de boîtes. Je savais que maman venait ici une fois par mois. Ce qu'elle y faisait, je n'en avais pas la moindre idée.

Elle se dirigea vers une grande malle posée près de la fenêtre. Puis elle me fixa presque durement, au point que je me sentis mal à l'aise. Je n'aurais pas voulu être son ennemi !

– Voilà six mois que tu es l'apprenti de M. Gregory, commença-t-elle. Tu as déjà été témoin de bien des événements. À présent, l'obscur t'a remarqué et va tenter de te neutraliser. Tu es en danger, Tom, et ce danger ira grandissant. Toutefois, rappelle-toi ceci : toi aussi, tu grandis. Tu grandis vite. Chaque inspiration, chaque battement de ton cœur te rendent plus fort, plus brave, meilleur. John Gregory a lutté contre l'obscur pendant des années pour te préparer la voie. Quand tu deviendras un homme, mon fils, ce sera au tour de l'obscur d'avoir peur, car tu ne seras plus la proie, mais le chasseur.

Avec un sourire triste, elle conclut :

– C'est pour cela que je t'ai donné la vie.

Puis, ouvrant la malle, elle leva le chandelier afin que je voie ce qu'il y avait dedans.

Une longue chaîne d'argent aux fins anneaux étincela dans la lumière des bougies.

– Prends-la ! dit maman. Moi, je ne peux y toucher.

À ces mots, je frissonnai, car je devinais que cette chaîne avait lié maman au rocher. Papa n'avait pas spécifié qu'elle était en argent, une omission lourde de sens, puisque cet objet – un outil si précieux pour un épouvanteur – servait à entraver les sorcières. Cela signifiait-il que maman était une sorcière ? Peut-être était-elle une lamia, comme Meg ? La chaîne d'argent, le baiser donné à mon père, tout concordait...

Je saisi la chaîne et la laissai se balancer dans mes mains. Elle était fine et légère, d'une qualité bien supérieure à celle de l'Épouvanteur, contenant un taux d'argent plus important.

Comme si elle avait entendu mes pensées, maman déclara :

– Je sais que ton père t'a raconté notre rencontre. Mais souviens-toi de ceci, mon fils : aucun d'entre nous n'est parfaitement bon ni totalement mauvais. Les uns et les autres, nous nous situons quelque part entre les deux. Il survient cependant un moment dans la vie où nous faisons un pas décisif, soit vers la lumière, soit vers l'obscur. Parfois, c'est une résolution que nous prenons dans le secret de notre cœur ; parfois, une rencontre particulière en est la cause. Grâce à ce que ton père a fait pour moi, j'ai avancé dans la bonne direction ; voilà pourquoi je suis ici aujourd'hui. Cette chaîne t'appartient désormais. Emporte-la et prends-en soin, jusqu'à ce que tu aies besoin de l'utiliser !

J'enroulai la chaîne autour de mes doigts et la rangeai dans ma poche, à côté de la lettre. Maman referma le couvercle. Je quittai la pièce à sa suite, et elle verrouilla la porte.

De retour dans la cuisine, je pris le paquet de casse-croûte et me préparai à partir.

– Montre-moi ta main avant de t'en aller !

Je la lui tendis. Elle dénoua le fil et retira les feuilles. La brûlure était presque guérie.

– Cette fille connaît son travail, commenta-t-elle. Je dois lui accorder ça. Laisse ta main à l'air, maintenant, et dans quelques jours il n'y paraîtra plus.

Maman me serra dans ses bras. Après l'avoir remerciée une dernière fois, j'ouvris la porte de derrière et m'enfonçai dans la nuit.

J'étais à mi-chemin de la hutte, au milieu d'un champ, quand j'entendis un jappement. Une silhouette s'avança vers moi. C'était Jack.

Lorsqu'il fut devant moi, la pâle clarté des étoiles me révéla que la colère lui tordait le visage.

– Tu me prends pour un imbécile, hein ? rugit-il. Les chiens n'ont pas mis cinq minutes à les débusquer !

Je regardai les deux bêtes qui se blottissaient peureusement contre les jambes de mon frère. Ces chiens de berger n'étaient pas particulièrement tendres, mais ils me connaissaient, et j'aurais espéré de leur part une manifestation d'amitié. De toute évidence, quelque chose les avait terrorisés.

– Tu aurais dû voir ça ! reprit Jack. Cette fille a sifflé et craché, et ils ont filé, ventre à terre, comme s'ils avaient le Diable aux trousses ! Je l'ai priée de dégager, mais elle a eu le culot de me rétorquer qu'elle n'était pas sur mes terres et que je n'avais rien à dire.

– J'avais besoin de l'aide de maman, Jack. M. Gregory est malade. Je l'ai laissé avec Alice à l'extérieur de notre domaine pour ne pas te contrarier.

– Encore heureux ! Je te signale que maman m'a envoyé au lit comme si j'étais un gamin. Devant ma propre femme ! Tu crois que ça m'a plu ? Parfois, je me demande si la ferme m'appartiendra un jour !

Furieux, je dus me mordre les lèvres pour ne pas lui jeter à la figure que son rêve se réaliserait sans doute plus tôt qu'il le pensait. Papa mort et maman repartie dans son pays, le domaine serait à lui.

– Excuse-moi, Jack, je ne peux m'attarder, dis-je en me dirigeant vers la hutte.

Au bout de quelques pas, je jetai un regard par-dessus mon épaule. Mon frère marchait vers la maison ; il ne se retourna pas.

Nous reprîmes la route sans prononcer un mot. J'avais matière à réfléchir, et Alice le comprit. L'Épouvanteur avançait, le regard vide. En revanche, il avait retrouvé une démarche à peu près assurée ; il n'était plus nécessaire de le soutenir.

Peu avant le lever du soleil, je rompis le silence :

– Tu as faim ? Maman nous a préparé un en-cas.

Alice acquiesça, et nous nous assîmes sur un talus herbeux pour manger. Lorsque je tendis une tranche de pain à mon maître, il la repoussa rudement. Il se leva, s'éloigna un peu et s'appuya à une clôture, comme s'il ne supportait plus notre présence ; à moins que ce soit celle d'Alice.

– Il va mieux, non ? dis-je. Comment maman l'a-t-elle soigné ?

– Elle lui a baigné le front, sans cesser de le regarder dans les yeux. Puis elle lui a donné une potion à boire. Je me tenais à l'écart, et elle n'a pas jeté un seul coup d'œil dans ma direction.

– Parce qu'elle connaît ton rôle dans ce qui s'est passé... J'ai dû tout lui raconter ; on ne peut rien lui cacher.

– Je ne regrette rien. J'ai sauvé ces gens. C'est aussi pour toi que j'ai agi, Tom. Pour que tu puisses ramener le vieux Gregory chez lui et poursuivre ton apprentissage. C'était ce que tu voulais, non ? N'ai-je pas fait ce qu'il fallait ?

Je ne répondis pas. Oui, en empêchant l'Inquisiteur de brûler des innocents, Alice avait sauvé des vies, sauvé l'Épouvanteur. Ce n'étaient pas ses actions qui me troublaient, mais le procédé utilisé. Je désirais lui venir en aide ; hélas, je ne voyais pas comment.

Dorénavant, Alice appartenait à l'obscur, et, dès que l'Épouvanteur aurait recouvré ses forces, il l'enfermerait dans une fosse. Elle le savait, et moi aussi.

16

Une fosse pour Alice

A lors que le soleil sombrait à l'horizon, les collines apparurent devant nous. Bientôt, nous grimpions la côte qui menait à la maison de l'Épouvanteur, empruntant le sentier sous les arbres pour contourner le village de Chipenden.

Je m'arrêtai devant le portail. Mon maître était à vingt pas derrière moi, fixant sa demeure comme s'il la voyait pour la première fois.

Je m'adressai à Alice :

– Tu ferais mieux de t'en aller.

Elle acquiesça d'un signe de tête. Un seul pas au-delà de la clôture l'aurait mise en grand danger. Le gobelin domestique, gardien de la maison et des jardins, n'aurait pas supporté son intrusion.

– Où vas-tu t'installer ? m'inquiétai-je.

– Ne te tourmente pas pour moi. Et ne crois pas que j'appartienne au Fléau ! Je ne suis pas idiote. Ne me faut-il pas le sommer encore deux fois d'apparaître pour me servir, et lui donner deux fois mon sang avant que cela arrive ? Pour l'instant, il ne fait pas froid, je resterai dans le coin quelques jours ; peut-être dans les ruines de la maison de Lizzie. Après quoi, j'irai probablement à Pendle. Que puis-je envisager d'autre ?

Alice avait des tantes à Pendle, des sorcières, malheureusement. C'était auprès d'elles qu'elle se sentirait le mieux. Malgré ses dénégations, elle était déjà entraînée vers l'obscur.

Sans rien ajouter, elle tourna les talons et s'enfonça dans l'ombre du crépuscule.

Je la suivis tristement du regard jusqu'à ce qu'elle ait disparu. J'ouvris alors le portail.

La porte d'entrée déverrouillée, l'Épouvanteur entra avec moi dans la maison.

Je le conduisis à la cuisine. Un feu flambait dans l'âtre, et, sur la table, deux couverts étaient disposés. Le gobelin avait prévu notre arrivée. Ce fut un souper léger, composé de deux bols de soupe de pois et d'épaisses tranches de pain. Notre longue marche m'avait creusé l'appétit, et je fis honneur au repas.

L'Épouvanteur demeura longtemps assis, à contempler son bol fumant. Enfin il prit un morceau de pain et le trempa dans le potage.

– On a eu de rudes moments, petit, me dit-il. C'est agréable d'être à la maison.

Le son de sa voix me causa un tel choc que je faillis tomber de ma chaise.

– Vous sentez-vous mieux ? demandai-je.

– Mieux que jamais ! Une bonne nuit de sommeil, et je serai frais et dispos. Ta mère est une femme merveilleuse. Dans le Comté, personne ne s'y connaît comme elle en potions.

– Je pensais que vous aviez tout oublié. Vous étiez ailleurs, tel un somnambule.

– Oui, il y avait de ça. Je voyais, j'entendais, mais ce que je percevais me semblait irréel. J'avais l'impression d'être plongé dans un cauchemar. Et je ne pouvais plus parler ; je ne trouvais plus mes mots. Ce n'est que devant cette maison que la conscience m'est revenue. As-tu toujours la clé de la Grille d'Argent ?

Surpris, je la tirai de ma poche de pantalon et la tendis à mon maître. Il la tourna et la retourna entre ses doigts :

– Que d'ennuis nous aura causés cet objet ! soupira-t-il. Au bout du compte, tu t'en es bien sorti.

Je souris, heureux pour la première fois depuis tant de jours. Mais, lorsque mon maître reprit la parole, ce fut pour m'interroger d'une voix dure :

– Où est la fille ?

– Pas très loin, je suppose.

– Parfait. Nous nous occuperons d'elle plus tard.

Tout au long du souper, je songeai à Alice. Que mangerait-elle ? Elle capturait les lièvres avec habileté, elle ne mourrait donc pas de faim – un souci de moins ! Cependant, au printemps dernier, après que sa tante, Lizzie l'Osseuse, avait enlevé un enfant, les hommes du village avaient mis le feu à sa maison, et les ruines offriraient une maigre protection contre la froideur des nuits d'automne. Par chance, ainsi qu'Alice l'avait signalé, la température était encore clémente. Non, le pire danger qui la menaçait venait de l'Épouvanteur...

Or, il s'avéra que nous avions profité de la dernière nuit douce de l'année. Le matin suivant, l'air était nettement plus frais. Quand je m'assis en compagnie de l'Épouvanteur sur notre banc, face aux collines, le vent se leva, arrachant les feuilles des arbres. L'été était fini.

J'avais déjà ouvert mon cahier, mais mon maître n'avait pas l'air pressé de commencer la leçon du jour. Il n'était pas remis des mauvais traitements infligés par l'Inquisiteur. Au petit déjeuner, il avait à peine parlé, le regard dans le vide, perdu dans ses pensées.

Ce fut moi qui brisai le silence.

– Que va entreprendre le Fléau, à présent qu'il est libre ? demandai-je. À quoi peut s'attendre la population ?

– La réponse est évidente : le Fléau désire par-dessus tout retrouver ses forces. Lorsqu'il y aura réussi, la terreur qu'il causera sera sans limites. Sa malignité se répandra partout. Aucun être vivant ne sera hors d'atteinte. Il va s'abreuver de sang et lire dans les esprits jusqu'à ce que ses pouvoirs soient restaurés. Durant le jour, forcé de se réfugier sous la terre, il verra par les yeux des gens qui marchent dans la lumière. Jusqu'alors, il contrôlait uniquement les prêtres de la cathédrale et n'étendait son influence que sur la ville de Priestown. Bientôt, il n'y aura plus un seul lieu sûr dans le Comté.

« La cité de Caster pourrait être la prochaine à en souffrir. Mais sans doute le Fléau s'attaquera-t-il d'abord à un hameau quelconque, dont il tuera les habitants en les pressant à mort en guise d'avertissement, juste pour montrer ce dont il est capable. C'est de cette façon qu'il a pris le contrôle du roi Heys et des souverains qui ont régné avant lui. Lui désobéir condamnerait toute une communauté au pressoir.

– Ma mère dit qu'il poursuivra Alice, risquai-je d'un air malheureux.

– C'est exact, petit ! Ta folle amie Alice ! Il a besoin d'elle pour récupérer son énergie. À deux reprises, elle lui a donné de son sang ; aussi, tant qu'elle est en liberté, elle risque de tomber très vite sous son contrôle. Si rien n'arrête le processus, elle lui appartiendra au point de ne plus pouvoir agir de sa propre volonté. Il la manipulera aussi aisément que je plie mon petit doigt. Le Fléau le sait, il est prêt à tout pour lui prendre encore du sang. Il est à sa recherche.

– Elle est forte ! protestai-je. Et le Fléau n'a-t-il pas peur des femmes ? Nous l'avons rencontré ensemble, dans les catacombes, après que j'ai tenté de vous arracher à votre cellule. Il avait pris votre apparence pour me tromper, et...

– Ce qu'on raconte est donc vrai, il se matérialise de nouveau !

– Oui, c'est vrai. Seulement, quand Alice lui a craché dessus, il s'est enfui.

– Le Fléau a plus de mal à contrôler une femme qu'un homme, en effet. Les femmes sont des êtres obstinés et souvent imprévisibles. Elles le rendent nerveux. Mais, à partir du moment où il a goûté au sang de l'une d'elles, tout est différent. Il harcèlera Alice sans répit. Il s'introduira dans ses rêves pour lui faire miroiter ce qu'il se propose de lui offrir – elle n'aura qu'à demander. Viendra alors un jour où elle ne pourra se retenir de l'invoquer encore. Mon cousin était sous la domination du Fléau, ça ne fait aucun doute. Sinon, il ne m'aurait pas trahi.

L'Épouvanteur se gratta la barbe, puis il reprit :

– Oui, la puissance du Fléau ira grandissant si personne ne l'empêche de répandre ses maléfices dans tout le Comté. C'est ce qui est arrivé au Petit Peuple, jusqu'à ce que des mesures désespérées soient prises. Il nous faut découvrir avec précision de quelle façon ce démon a été entravé ; et, surtout, s'il existe un moyen de le tuer. Voilà pourquoi nous devons nous rendre à Heysham. Il y a un grand tumulus, là-bas, un tertre funéraire. Les corps du roi Heys et de ses fils y reposent dans des tombes de pierre.

« Dès que je me sentirai d'aplomb, nous nous y rendrons. Comme tu le sais, ceux qui ont péri de mort violente ont parfois du mal à quitter ce monde. Nous visiterons ces sépultures. Avec un peu de chance, un ou deux fantômes errent dans les parages. Peut-être même celui de Maze. C'est notre seul espoir, car, pour être honnête, petit, je n'ai pas la moindre idée de la façon dont nous viendrons à bout de cette tâche.

Sur ces mots, l'Épouvanteur inclina la tête, l'air profondément triste et préoccupé. Je ne l'avais jamais vu aussi abattu.

– Êtes-vous déjà allé à Heysham ? voulus-je savoir, étonné que les fantômes ne se soient pas montrés auparavant.

– Oui, mon garçon. Une fois. J'étais apprenti, à l'époque. Mon maître avait été appelé pour régler un cas d'apparition : un spectre arrivé de la mer hantait le rivage. Le travail achevé, nous sommes passés près des tombes, sur la colline, en bordure de la falaise, et j'ai su qu'il s'y produisait quelque chose, car la chaude nuit d'été est devenue soudain glaciale. Mon maître continuant son chemin, je l'ai interrogé, surpris qu'il ne fasse rien. « Inutile de s'en mêler, m'a-t-il répondu. Ces manifestations ne gênent personne. Certains fantômes s'attardent sur cette terre parce qu'ils ont une mission à accomplir. Autant les laisser en paix ! » Sur le moment, je n'ai pas bien compris, mais, comme d'habitude, il avait raison.

J'essayai d'imaginer l'Épouvanteur en apprenti. Je me demandai à quoi ressemblait son maître, qui avait accepté de former un jeune homme ayant abandonné la prêtrise.

– Quoi qu'il en soit, poursuivit-il, nous partirons dès que possible. Mais, avant, une besogne nous attend. Tu sais laquelle, n'est-ce pas ?

Sa question me fit frissonner. Oui, je savais...

– Nous devons nous occuper de cette fille. Il faut découvrir où elle se cache. Je présume qu'elle se terre dans les ruines de la maison de sa tante Lizzie. Qu'en penses-tu ?

Comme je m'apprêtais à protester, il me fixa d'un regard si dur que je baissai les yeux. Incapable de lui mentir, j'admis :

– C'est probablement là qu'elle s'est réfugiée.

– Eh bien, elle ne peut y rester plus longtemps. Elle représente un danger pour tout le monde. Elle doit être enfermée dans une fosse. Et le plus tôt sera le mieux. Tu vas donc te mettre à creuser...

– Moi ?

Je le dévisageai, incrédule.

– Écoute-moi, petit ! C'est pénible, mais nécessaire. Il est de notre devoir d'assurer la sécurité des habitants du Comté, et cette fille est une menace.

– Ce n'est pas juste ! m'indignai-je. Elle vous a sauvé la vie ! Et, au printemps dernier, elle a sauvé la mienne ! En fin de compte, tout ce qu'elle a entrepris s'est avéré positif. Ses intentions sont bonnes.

L'Épouvanteur leva la main pour m'imposer silence.

– Ne gaspille pas ta salive ! m'ordonna-t-il d'un air sévère. Certes, elle nous a évité le bûcher, elle a sauvé des vies, dont la mienne. Seulement, elle a relâché le Fléau, et je préférerais être mort que de laisser cette créature libre de commettre ses méfaits.

– Si nous tuons le Fléau, Alice sera délivrée ! Vous lui accorderez une autre chance !

Le visage de mon maître s'empourpra de fureur, et, quand il parla, ce fut d'une voix basse et vibrante :

– Une sorcière, même une familière, reste dangereuse. Lorsqu'elle aura atteint sa maturité, elle sera bien plus à craindre que celles qui usent de la magie du sang ou des ossements. D'autant que, d'ordinaire, c'est un être faible et de petite taille qui absorbe peu à peu leur pouvoir, un crapaud ou une chauve-souris. Or, pense à ce qu'a fait cette fille ! Libérer le Fléau ! La pire des calamités ! Et elle s'imagine l'avoir soumis à *sa* volonté !

« Elle est intelligente et téméraire, mais c'est une arrogante qui ne recule devant rien. Ne crois pas que tout s'achèvera avec la mort du Fléau : si Alice atteint l'âge adulte sans qu'on réussisse à la contrôler, elle deviendra la pire sorcière que le Comté ait connue ! Nous devons la mettre hors d'état de nuire avant qu'il soit trop tard. Je suis ton maître, et tu es mon apprenti. Alors, viens avec moi et obéis ! »

Sur ce, il se leva et s'éloigna d'un pas rageur.

Le moral au fond des bottes, je le suivis jusqu'à la maison pour y prendre une pelle et la baguette à mesurer. Nous nous rendîmes ensuite dans le jardin est. Là, à moins de cinquante pas du trou sombre où était enfermée Lizzie l'Osseuse, je commençai à creuser une fosse qui devrait avoir huit pieds de profondeur et quatre de côté.

Le soir tombait lorsque l'Épouvanteur s'estima satisfait. Je m'extirpai de là, troublé par la proximité de Lizzie.

– Ça suffira pour aujourd'hui, déclara mon maître. Demain matin, nous irons au village demander au maçon de venir prendre les mesures.

La tâche du maçon consisterait à cimenter une bordure de pierres sur le pourtour de la fosse et y sceller treize solides barres de fer empêchant toute tentative d'évasion. L'Épouvanteur surveillerait l'opération, afin de protéger le maçon du gobelin domestique, qui ne supportait aucune intrusion dans notre jardin.

Comme je retournai vers la maison en traînant les pieds, mon maître posa un instant la main sur mon épaule :

– Tu as accompli ton devoir, petit. C'est bien. Je dois reconnaître que, jusqu'ici, tu as plus qu'honoré les promesses faites par ta mère...

Je le regardai, abasourdi. Je me souvenais d'une lettre que maman lui avait adressée, lui assurant que je serais le meilleur apprenti qu'il ait jamais eu, et il n'avait pas apprécié.

– Continue comme ça, poursuivit-il, et, lorsque le temps sera venu pour moi de me retirer, je saurai que le Comté est entre de bonnes mains. J'espère que te voilà un peu réconforté.

L'entendre parler ainsi était vraiment surprenant ; il était toujours si avare de compliments ! Je supposai qu'il essayait de me rasséréner, mais ces louanges ne suffisaient pas à me faire oublier qu'Alice serait bientôt au fond de ce puits.

Cette nuit-là, je n'arrivais pas à dormir. J'étais donc tout à fait éveillé quand l'événement se produisit.

Je pensai d'abord qu'il s'agissait d'une tempête soudaine. Il y eut un rugissement, et la maison fut secouée comme par une rafale de vent. Quelque chose heurta ma fenêtre avec violence, et j'entendis la vitre craquer. Alarmé, je m'agenouillai sur mon lit et tirai les rideaux. La large fenêtre à guillotine étant divisée en huit panneaux de verre épais et irrégulier, on ne discernait pas grand-chose au travers, même par temps clair. La lune était à son premier quartier, et je ne distinguai que la cime des arbres, qui s'agitait follement, à croire qu'une armée de géants s'amusait à ébranler leur tronc.

Trois carreaux étaient brisés. J'eus un instant la tentation de soulever le bas de la fenêtre pour mieux voir, puis je me ravisai. La lune brillait, cette tempête n'était donc pas d'origine naturelle. Était-ce une attaque du Fléau ? Nous avait-il retrouvés ?

Survint un battement sourd, juste au-dessus de ma tête, comme si l'on cognait sur le toit à grands coups de poing. Au bruit de raclement qui s'ensuivit je compris que des ardoises avaient été arrachées. Elles s'écrasèrent sur les pavés qui bordaient le flanc ouest de la maison.

Je m'habillai en hâte et dévalai les escaliers quatre à quatre. La porte de derrière était ouverte.

Je courus sur la pelouse et me sentis aussitôt saisi entre les mâchoires d'un vent si puissant que je suffoquai, bloqué sur place. Je luttai de toutes mes forces, un pas après l'autre, m'efforçant de garder les yeux ouverts malgré les rafales qui me giflaient le visage.

À la lumière de la lune, j'aperçus l'Épouvanteur, à mi-chemin entre la maison et la ligne des arbres, son manteau noir battant follement autour de lui. Il tenait son bâton levé dans un geste de parade. Il me fallut un temps qui me parut un siècle pour le rejoindre.

– Qu'est-ce que c'est, maître ? criai-je lorsque je fus enfin à ses côtés. Qu'est-ce que c'est ?

La réponse ne sortit pas de la bouche de l'Épouvanteur. Un son terrifiant emplit l'air, un cri de rage, un grondement assourdissant qui dut résonner à des milles alentour. C'était le gobelin. J'avais déjà entendu son hurlement, au printemps dernier, quand il avait empêché Lizzie l'Osseuse de me pourchasser jusque dans le jardin ouest.

Il était là, dans l'ombre, sous les arbres, affrontant la créature qui menaçait la maison.

Le Fléau ! Qu'est-ce que ça pouvait être d'autre ?

Je ne bougeai pas, claquant des dents, grelottant de peur et de froid, malmené par les bourrasques. Puis, peu à peu, le vent tomba et le silence revint.

– Rentrons, dit l'Épouvanteur. Nous ne pourrons rien entreprendre avant l'aube.

Sur le seuil de la porte, je désignai les débris de tuiles parsemant les pavés :

– C'était le Fléau ?

L'Épouvanteur hocha la tête :

– Il n'a pas mis longtemps à nous retrouver, hein ? C'est à cause de cette fille. Il a dû la localiser. À moins qu'elle ne l'ait appelé.

– Elle ne ferait jamais ça ! me récriai-je.

Puis, préférant changer de sujet, j'enchaînai :

– Et le gobelin nous a sauvés ?

– Oui, pour cette fois. À quel prix ? C'est ce que nous découvrirons demain matin. Et je ne parierais pas sur lui lors d'une deuxième attaque. Je vais rester ici et veiller. Retourne dans ta chambre et tâche de dormir. N'importe quoi peut arriver, désormais, et tu auras besoin de toutes tes facultés.

17

L'arrivée de l'Inquisiteur

Je redescendis juste avant l'aube. Le temps s'était couvert, il n'y avait plus un souffle de vent, et la première gelée d'automne blanchissait la pelouse.

L'Épouvanteur était assis près de la porte de derrière, dans la position où je l'avais laissé. Il paraissait exténué, et son visage était aussi gris et morne que le ciel.

– Sortons, petit, dit-il d'un ton las. Allons examiner les dégâts.

Je crus qu'il parlait de la maison ; or, il se dirigea vers le bois du jardin ouest. Des dégâts, il y en avait, certes ; pas autant cependant qu'on pouvait le redouter après les violences de la nuit. Quelques grosses branches étaient brisées, l'herbe était parsemée de brindilles, et le banc avait été renversé. Sur un geste de l'Épouvanteur, je l'aidai à le remettre en place.

— Je m'attendais à pire, déclarai-je avec entrain, espérant le tirer de son abattement.

— Ce n'est qu'un début, commenta-t-il d'un ton lugubre. J'avais prévu que le Fléau gagnerait en puissance, mais ça va trop vite. Beaucoup trop vite. Qu'il soit déjà capable de telles manifestations est extrêmement inquiétant. Nous devons nous hâter.

Il retourna vers la maison, qui avait davantage souffert : non seulement des tuiles manquaient sur le toit, mais une cheminée était tombée.

— Pour les travaux, on verra plus tard..., grommela-t-il.

À cet instant, une cloche tinta. Le gobelin nous appelait. En l'entendant, mon maître esquissa un sourire :

— Je craignais qu'on doive se passer de petit déjeuner, ce matin. La situation n'est peut-être pas si dramatique...

En pénétrant dans la cuisine, je remarquai les gouttes de sang qui tachaient l'âtre et le carrelage. La pièce était glaciale. Depuis six mois que j'habitais cette maison, c'était la première fois que le feu n'était pas allumé. Sur la table, il n'y avait ni œufs au plat ni bacon, rien qu'une mince tartine pour chacun de nous.

Me prenant par le bras, l'Épouvanteur souffla :

– Ne te permets aucune critique, petit ! Mange et montre-toi satisfait de ce qui t'est offert.

Je suivis ses recommandations ; mais, lorsque j'eus avalé la dernière bouchée, mon estomac gargouillait toujours de faim.

L'Épouvanteur se leva de table.

– Ce pain était excellent, lança-t-il dans le vide. Et merci pour ce que tu as fait la nuit dernière. Nous te sommes l'un et l'autre profondément reconnaissants.

Le gobelin se montrait rarement. Ce matin-là, néanmoins, émettant un faible ronronnement, il apparut un bref instant, près de la cheminée, sous son aspect de gros chat roux. Il était dans un triste état. Son oreille gauche, déchiquetée, suppurait, et la fourrure de son cou était poisseuse de sang. Le pire, c'était la plaie à vif à l'emplacement de son œil gauche.

– Il ne sera plus jamais le même, soupira l'Épouvanteur avec tristesse, lorsque nous fûmes sortis. Réjouissons-nous que le Fléau n'ait pas retrouvé sa pleine puissance, sinon, nous serions morts. Le gobelin nous a offert un délai. Dépêchons-nous d'agir !

Il n'avait pas achevé sa phrase quand, au loin, la cloche d'appel retentit : du travail pour l'Épouvanteur ! Après ce qui s'était passé, et étant donné la situation, je pensai qu'il n'en tiendrait pas compte. Je me trompais.

— Eh bien, petit, me dit-il, va voir ce qu'on me veut !

La cloche cessa de sonner avant que j'arrive au carrefour, mais la corde se balançait encore. Sous le cercle de saules, il faisait aussi sombre que d'habitude. Une seconde me suffit cependant pour réaliser que le message n'était pas destiné à mon maître. J'aperçus une fille en robe noire.

Alice.

Je la regardai en secouant la tête :

— Tu as de la chance que M. Gregory ne soit pas venu avec moi !

Elle sourit :

— Le vieux Gregory ne cours pas assez vite pour me rattraper. Il n'est plus l'homme qu'il était.

— N'en sois pas si sûre ! rétorquai-je avec irritation. Il m'a ordonné de creuser une fosse. Tu finiras dedans si tu ne prends pas garde.

D'une voix railleuse, elle répliqua :

— Le vieux Gregory a perdu ses forces. Pas étonnant qu'il t'oblige à creuser !

— Non. Il me l'a imposé pour que j'accepte, pour que je comprenne qu'il est de mon devoir de t'enfermer.

— Me condamnerais-tu vraiment à une horreur pareille, Tom ? demanda-t-elle d'un air chagrin. Après tout ce que nous avons vécu ensemble ? Moi, je t'ai libéré d'une fosse, tu ne t'en souviens pas ? Quand Lizzie aiguisait son couteau, s'apprêtant à te prendre tes os !

Je m'en souvenais parfaitement. Sans le secours d'Alice, je serais mort, cette nuit-là.

— Écoute, la pressai-je, pars à Pendle tant qu'il n'est pas trop tard ! Tu dois t'éloigner d'ici !

— Le Fléau n'est pas de cet avis. Il exige que je reste un moment dans les environs.

— Cette... chose ! lâchai-je avec mépris.

— Non, Tom, ce n'est pas une chose. Il y a de l'humain en lui, je l'ai senti.

— Le Fléau a attaqué la maison de l'Épouvanteur, cette nuit. Il aurait pu nous tuer ! C'est toi qui l'as envoyé ?

Avec fermeté, elle fit signe que non :

— Ce n'est pas de ma faute, Tom. Je te le jure ! Nous avons parlé, c'est tout. Il m'a confié des secrets.

— Je croyais que tu ne voulais plus avoir aucune relation avec lui, m'écriai-je, horrifié.

— J'ai lutté, Tom. J'ai vraiment lutté. Mais il vient et il murmure à mon oreille. Il vient à moi dans l'obscurité quand j'essaie de m'endormir. Et il me parle en rêve, il me fait des promesses.

– Quel genre de promesses ?

– Ce n'est pas facile pour moi, tu sais. Les nuits sont froides à présent. Le temps se gâte. Le Fléau me promet une maison avec une grande cheminée, et une réserve pleine de bois et de charbon ; il m'assure que je ne manquerai jamais de rien. Il me promet aussi de belles robes ; grâce à lui, les gens ne me regarderont plus de haut comme si j'étais une vagabonde.

– Ne l'écoute pas, Alice ! Résiste de toutes tes forces !

– Heureusement que je l'écoute de temps à autre, objecta-t-elle, un étrange sourire sur les lèvres. Sinon, tu en pâtirais. J'ai beaucoup appris, vois-tu. Et ce que j'ai appris pourrait sauver la vie du vieux Gregory, et la tienne par-dessus le marché !

– Raconte-moi !

– Pourquoi te le raconterais-je, alors que tu t'apprêtes à m'enfermer au fond d'un trou pour le restant de mes jours ?

Comme je ne répondais rien, elle poussa un soupir attristé :

– Je te secourrai encore. Feras-tu de même pour moi... ? Sache que l'Inquisiteur se dirige vers Chipenden. Il ne s'est brûlé que les mains sur le bûcher, mais il veut se venger. Il sait que John Gregory habite dans le coin ; il approche avec une troupe d'hommes et des chiens, des molosses aux crocs redoutables. À midi au plus tard, il sera là. Fais savoir à ton maître que je t'ai averti, même si je ne compte pas sur sa reconnaissance.

– J'y vais !

Je remontai la pente au pas de course, prenant soudain conscience que j'avais quitté Alice sans un merci. Mais pouvais-je la remercier de pactiser avec l'obscur pour nous venir en aide ?

L'Épouvanteur m'attendait derrière la porte :

– Reprends ton souffle, petit ! Je lis sur ton visage que tu apportes de mauvaises nouvelles.

– L'Inquisiteur arrive ! lâchai-je. Il a découvert que nous habitions près de Chipenden.

– Qui te l'a dit ?

– Alice. Il sera là vers midi. Le Fléau lui a...

– Eh bien, nous ferions mieux de filer, m'interrompit-il. Mais, d'abord, redescends au village ! Avertis le boucher et l'épicier que nous nous rendons vers le nord, du côté de Caster, et que nous serons absents quelque temps, en précisant qu'on n'aura besoin de rien la semaine prochaine.

Je courus remplir ma mission. Lorsque je revins, mon maître était sur le seuil, prêt au départ. Il me tendit mon sac. Je demandai :

– Nous nous dirigeons vers le sud ?

L'Épouvanteur secoua la tête :

– Non, petit ! Nous prenons bien la route du nord, comme je l'ai dit. Il nous faut rejoindre Heysham. Espérons que nous aurons la chance de nous entretenir avec le fantôme de Maze.

– Tout le monde sait où nous allons ! Pourquoi ne pas avoir prétendu...

– Parce que je présume que l'Inquisiteur fera halte au village. Apprenant où nous allons, il bifurquera directement vers le nord, et ses chiens flaireront notre piste. Il faut absolument l'éloigner de la maison : ma bibliothèque contient des ouvrages irremplaçables. Si l'Inquisiteur montait ici, ses hommes la saccageraient et y mettraient peut-être le feu. Je ne veux pas courir ce risque.

– Comment entreraient-ils sans être mis en pièces par le gobelin ? Ne garde-t-il pas la maison et les jardins ? Serait-il trop affaibli ?

L'Épouvanteur fixa le bout de ses bottes en soupirant :

– Non, il a encore assez de forces pour affronter l'Inquisiteur et ses sbires. Mais je refuse d'avoir des morts inutiles sur la conscience. Et, même si le gobelin en tuait un bon nombre, les autres réussiraient à lui échapper. Ceux-là disposeraient alors des meilleures preuves contre moi pour m'envoyer au bûcher. Ils reviendraient avec une armée ; ça n'en finirait pas. Je n'aurais plus un moment de paix jusqu'à la fin de mes jours. Je serais contraint de m'exiler loin du Comté.

— Ne vont-ils pas nous rattraper, de toute façon ?

— Non, petit ! Pas si nous choisissons les sentiers escarpés de la montagne. Ils ne pourront y passer avec leurs chevaux, et nous aurons quelques heures d'avance. Contrairement à eux, je connais le pays à fond. Partons, à présent ! Nous avons perdu assez de temps.

L'Épouvanteur se mit en route d'un pas rapide. Je le suivis de mon mieux, portant son sac lourdement chargé, en plus du mien.

— L'Inquisiteur ne va-t-il pas envoyer une avant-garde à Caster pour nous y attendre ? demandai-je.

— Il le fera certainement, mais nous n'entrerons pas dans la ville. Nous la contournerons et oblique-rons vers le sud-ouest, afin de nous rendre à Heysham. Méfions-nous surtout du Fléau, et n'oublions pas que les heures nous sont comptées. Notre dernière chance repose sur la rencontre avec le fantôme de Maze.

— Et après ? Où irons-nous ? Pourrons-nous reve-nir un jour ?

— Je ne vois pas pourquoi nous ne le pourrions pas. Nous finirons par nous débarrasser de l'Inqui-siteur. Il y a moyen de le faire. Oh, il ne lâchera pas prise et nous donnera du fil à retordre, c'est certain. Toutefois, d'ici peu, il repartira vers le sud, préférant passer l'hiver au chaud.

Je hochai la tête, peu convaincu. Bien des failles m'apparaissaient dans le plan de l'Épouvanteur. S'il était parti d'un bon pas, il n'avait pas recouvré toute son énergie, et franchir les montagnes allait être éprouvant. Nous risquions d'être rattrapés avant d'avoir atteint notre but. De plus, les hommes de l'Inquisiteur chercheraient peut-être la maison et y mettraient le feu par dépit, surtout s'ils perdaient notre trace. Et, l'an prochain, la situation serait inchangée ; au printemps, l'Inquisiteur remonterait vers le nord. Il n'était pas homme à abandonner si facilement. Je ne voyais pas comment notre vie pourrait redevenir normale.

Une autre pensée me frappa soudain : et s'ils me capturaient ? L'Inquisiteur usait de la torture pour extorquer des aveux. S'il m'obligeait à lui dire où vivait ma famille ? Il confisquait ou brûlait les maisons des gens qu'il accusait de sorcellerie. J'imaginai Papa, Jack, Ellie et le bébé chassés de leur foyer. Et quel sort réserverait-il à maman, elle qui ne supportait pas le soleil, qui accouchait les femmes dans les cas difficiles et possédait une collection d'herbes servant à préparer des potions ? Ma mère serait en grand danger !

Je ne confiai pas mes inquiétudes à l'Épouvanteur ; je savais qu'il était lassé de mes sempiternelles questions.

Nous fûmes à mi-pente de la montagne en moins d'une heure. L'air était calme, une belle journée s'annonçait.

Si j'avais pu m'ôter de l'esprit la raison qui nous conduisait ici, j'aurais apprécié la randonnée, car c'était un temps idéal pour marcher. Des courlis et des lièvres étaient notre seule compagnie ; à l'horizon, la mer étincelait au soleil.

Au début, l'Épouvanteur avait avancé en tête, à grandes foulées énergiques. Mais, bien avant midi, il avait ralenti l'allure et, lorsque nous fîmes halte près d'un cairn de pierres, il me parut à bout. Tandis qu'il déballait le fromage, je constatai que ses mains tremblaient.

– Tiens ! me dit-il en m'en tendant un petit morceau. N'avale pas tout d'un coup !

Je suivis son conseil et le grignotai lentement.

– Tu sais que la fille nous suit ? me demanda-t-il.

Je le regardai avec stupeur.

– Elle est à un mille environ derrière nous, fit-il en désignant le sud. Nous nous sommes arrêtés, et elle s'est arrêtée. Que veut-elle, à ton avis ?

– Je suppose qu'elle n'a nulle part où aller, en dehors de Pendle, et qu'elle n'a pas envie de s'y rendre. Et elle ne peut rester à Chipenden. Avec l'arrivée de l'Inquisiteur et de ses hommes, elle n'y serait plus en sécurité.

– À moins qu'elle ne te lâche pas d'une semelle parce qu'elle s'est entichée de toi ! Je regrette de ne pas avoir eu le temps de régler son cas avant de partir. À cause d'elle, le Fléau n'est pas loin. À l'heure qu'il est, il se cache quelque part sous terre, mais, dès qu'il fera noir, elle l'attirera comme la flamme d'une chandelle attire un papillon, et il hantera les parages. Si elle lui offre de nouveau un peu de son sang, il commencera à voir par ses yeux. Sa soif assouvie, il se revêtira d'os et de chair. Les manifestations de la nuit dernière n'étaient qu'un avant-goût de son pouvoir.

– Sans Alice, nous n'aurions pas quitté Chipenden, objectai-je. Nous serions peut-être déjà entre les mains de l'Inquisiteur.

Mon maître ignora ma remarque.

– Allons ! fit-il. Reprenons la route ! L'immobilité ne me rendra pas ma jeunesse.

Une heure plus tard, nous dûmes nous arrêter une fois de plus. Cette fois, l'Épouvanteur eut besoin d'une longue pause avant de se remettre péniblement debout. La journée s'écoula ainsi, avec des moments de repos de plus en plus importants, et des temps de marche de plus en plus réduits. Sur le soir, la température fraîchit ; l'air sentait la pluie, et il se mit bientôt à bruiner.

Dans les premières ombres du crépuscule, nous amorçâmes la descente vers un quadrillage d'enclos.

La pente était raide, et nous dérapions sur l'herbe glissante. La pluie tombait dru, à présent, et un fort vent d'ouest s'était levé.

– Accordons-nous un peu de répit, que je reprenne haleine ! dit l'Épouvanteur.

Il s'approcha d'un muret de pierres et l'escalada. Nous nous recroquevillâmes de l'autre côté, un peu protégés du vent et du plus gros de l'averse.

– À mon âge, grommela mon maître, l'humidité vous pénètre jusqu'aux os ! Voilà ce qu'on gagne à vivre dans le climat du Comté. À force, il vient à bout de votre résistance ; il vous rouille les articulations et vous ronge les poumons.

Nous étions misérablement blottis contre notre abri de fortune. J'étais fatigué et soucieux, et, malgré l'inconfort, j'avais du mal à garder les yeux ouverts. Je finis par sombrer dans un profond sommeil.

Aussitôt, je commençai à rêver. C'était un de ces rêves qui paraissent durer toute la nuit. Et, peu à peu, il vira au cauchemar...

18

Cauchemar sur la colline

C e fut le pire de mes cauchemars. Pourtant, avec le travail qui était le mien, les mauvais rêves me visitaient fréquemment.

Je m'étais perdu et j'essayais de rentrer à la maison. J'aurais dû retrouver sans peine mon chemin, car la pleine lune illuminait le paysage. Or, à chaque tournant, alors que je m'attendais à reconnaître des repères familiers, je découvrais un endroit inconnu.

Je parvins enfin en haut de la colline du Pendu et j'aperçus notre ferme en contrebas. En descendant la pente, je me sentais de plus en plus oppressé. Certes, il faisait nuit, et rien ne bougeait alentour. Mais un tel calme, un tel silence, ce n'était pas naturel. Les clôtures étaient effondrées ; les portes de la grange bâillaient de travers sur leurs gonds. Ni papa ni Jack n'auraient laissé les choses en si mauvais état...

La maison semblait inhabitée, les vitres étaient brisées, des ardoises manquaient sur la toiture. La porte de derrière me résista, comme à l'ordinaire, car le chambranle était faussé. Lorsqu'elle céda, j'entrai dans une cuisine qui semblait inutilisée depuis des années. La poussière recouvrait les meubles, et des toiles d'araignées envahissaient les poutres du plafond. Au centre de la pièce, je remarquai un papier plié, posé sur le rocking-chair de maman. Je m'en emparai et sortis pour le lire à la lumière de la lune.

Les tombes de ton père, de Jack, d'Ellie et de Mary sont au sommet de la colline du Pendu.
Tu trouveras ta mère dans la grange.

Le cœur battant à m'en faire mal, je me ruai dans la cour, puis m'arrêtai, l'oreille aux aguets. Pas un bruit. Pas un souffle de vent. Je pénétrai avec anxiété dans l'obscurité de la grange, ne sachant à quoi m'attendre. Y découvrirais-je une tombe ? La tombe de ma mère ?

Par un trou du toit passa un rayon de lune, qui éclaira le visage de maman. Elle me regardait fixement. Son corps était dans l'ombre, et, d'après sa taille, je la crus agenouillée.

Pourquoi était-elle dans cette position ? Pourquoi paraissait-elle si mécontente ? N'était-elle pas heureuse de mon arrivée ?

Elle me lança alors un avertissement angoissé :

– Ne me regarde pas, Tom ! Ne me regarde pas ! Va-t'en ! Vite !

À l'instant où, effrayé, je tournais les talons, elle décolla du sol, et ce que je remarquai du coin de l'œil me liquéfia de terreur. À partir du cou, ma mère s'était métamorphosée ! J'entrevis des écailles, des griffes acérées, tandis qu'elle s'envolait à grands coups d'ailes par le trou, arrachant au passage une partie de la toiture. Je levai les bras pour me protéger des éclats de bois et d'ardoise qui tombaient autour de moi. Maman n'était plus qu'une silhouette noire se découpant sur le disque lunaire.

– Non ! Non ! criai-je. Ce n'est pas vrai ! Je ne veux pas !

Une phrase résonna dans ma tête, et je reconnus la voix sifflante du Fléau :

La lune révèle la vérité des choses, mon garçon ! Tu le sais. Ce que tu as vu est vrai, ou le sera bientôt. Ce n'est qu'une question de temps.

Je sentis une main me secouer et j'émergeai de mon rêve, trempé d'une sueur glacée. L'Épouvanteur était penché sur moi :

– Réveille-toi, petit ! Réveille-toi ! Ce n'est qu'un cauchemar. C'est le Fléau qui a pénétré ton esprit pour t'affaiblir.

J'acquiesçai d'un signe de tête, me gardant de raconter cette vision à mon maître : elle était trop effroyable. Je regardai le ciel. S'il pleuvait toujours, quelques étoiles brillaient dans une trouée de nuages. Il faisait sombre, mais l'aube était proche.

– Avons-nous dormi toute la nuit ? demandai-je.

– Oui. Et ce n'est pas ce que j'avais prévu.

Il se redressa avec raideur.

– Hâtons-nous, fit-il, inquiet. Tu les entends ?

Je tendis l'oreille et, à travers le bruit du vent et de la pluie, je perçus des aboiements lointains.

– Ils gagnent du terrain. Notre seul espoir est de brouiller la piste. Il nous faut un cours d'eau, pas trop profond, pour pouvoir y marcher. Ce que nous cherchons est au pied de la colline. Évidemment, nous regagnerons la terre ferme à un moment ou à un autre, mais les chiens devront arpenter la rive d'amont en aval avant de flairer de nouveau nos traces.

Nous enjambâmes un autre muret et descendîmes la pente raide, aussi vite que l'herbe humide et glissante nous le permettait. Plus bas nous vîmes une petite maison de berger flanquée d'un vieux prunellier tordu par le vent, dont les branches nues griffaient le ciel.

Nous nous dirigeâmes de ce côté, puis stoppâmes brusquement.

Devant nous se dressait une barrière de bois entourant un enclos où des moutons étaient enfermés. Dans la faible lumière de l'aube, nous comptâmes une vingtaine de bêtes. Toutes mortes.

– Je n'aime pas ça ! souffla l'Épouvanteur.

Je partageais ce sentiment. Soudain, je réalisai qu'il ne parlait pas du massacre des moutons : il observait la maison, derrière l'enclos.

D'une voix très basse, presque un murmure, il ajouta :

– Nous arrivons probablement trop tard. Il est toutefois de notre devoir de vérifier...

Sur ce, il s'avança, la main serrée sur son bâton. Je lui emboîtai le pas.

En longeant la barrière, je jetai un coup d'œil sur le cadavre le plus proche. Des traînées de sang poissaient le corps laineux. Si ce massacre était l'œuvre du Fléau, la créature s'était largement abreuvée. Quelle pouvait être sa puissance, dorénavant ?

La porte était grande ouverte, et l'Épouvanteur entra sans hésiter. À peine avait-il franchi le seuil qu'il s'arrêta net, le souffle court. M'immobilisant moi aussi, je suivis son regard.

À la lueur vacillante d'une chandelle, je distinguai au fond de la pièce une forme sombre, que je pris d'abord pour l'ombre du berger. Mais c'était trop dense pour être une ombre. Cette silhouette, adossée contre le mur, brandissait un bâton dans un geste de menace. Il me fallut quelques secondes pour comprendre. Mes genoux se mirent alors à trembler, et je crus que mon cœur remontait dans ma gorge.

Sur ce qui restait du visage du berger, on lisait un mélange de colère et d'épouvante. Sa bouche sanglante s'ouvrait sur des dents cassées. L'homme était aplati, pressé contre la paroi, incrusté dans la pierre. Le Fléau était passé...

Mon maître fit un pas, un autre. Je me risquai derrière lui, jusqu'à découvrir dans sa totalité la vision de cauchemar qui nous attendait. Un berceau avait été fracassé contre le mur, une couverture et un petit drap ensanglantés traînaient par terre ; on ne voyait pas trace du bébé. L'Épouvanteur s'avança, souleva la couverture avec précaution, puis, m'interdisant d'un geste d'approcher, la laissa retomber avec un gémissement.

Moi, je venais de repérer la mère de l'enfant. Elle gisait sur le plancher, en partie dissimulée par un rocking-chair. Elle tenait dans sa main droite une aiguille à tricoter ; une pelote de laine avait roulé dans l'âtre, au milieu des braises refroidies.

La porte menant à la cuisine était ouverte. Un frisson d'effroi me parcourut : quelque chose s'y tenait tapi. À peine avais-je formulé cette pensée dans ma tête que la température chuta. Le Fléau était encore là ! Paniqué, je faillis prendre la fuite. Mais l'Épouvanteur ne bougeait pas ; je ne pouvais le laisser seul.

La chandelle s'éteignit soudain, comme mouchée par des doigts invisibles, nous plongeant dans une demi-obscurité. Des profondeurs de la cuisine, une voix s'éleva, une voix qui résonna dans l'air et courut sur le carrelage, de sorte qu'il vibra sous mes pieds.

Salut, Vieille Carne ! Content que tu sois là ! Je te cherchais. Je savais que tu n'étais pas loin.

– Eh bien, tu m'as trouvé, répondit l'Épouvanteur d'un ton las en s'appuyant lourdement sur son bâton.

Tu as toujours été fouineur, hein, Vieille Carne ? Mais tu as fouiné une fois de trop. Regarde bien ! Je vais tuer le garçon devant toi. Puis ce sera ton tour.

Une main m'empoigna et me lança contre le mur avec une telle violence que le choc me coupa la respiration. Puis j'eus la sensation qu'on m'écrasait et je crus que mes côtes allaient se briser. Le pire, c'était l'effroyable pression sur mon front. Je songeai au visage du berger, incrusté dans la pierre, et une terreur sans nom s'empara de moi. Impossible de remuer, de respirer. Un voile noir tomba devant mes yeux ; la dernière image dont j'eus conscience fut celle de l'Épouvanteur se ruant vers la porte de la cuisine, le bâton brandi.

Quelqu'un me secouait doucement.

Je soulevai les paupières et vis mon maître penché sur moi.

– Ça va, petit ? me demanda-t-il avec inquiétude.

Je fis signe que oui. J'étais étendu sur le carrelage. Chaque inspiration était douloureuse. Cependant je respirais. J'étais vivant.

– Voyons si tu tiens sur tes jambes !

Avec son aide, je parvins à me remettre debout.

– Peux-tu marcher ?

Je risquai un pas. Je n'étais guère solide, mais, oui, je pouvais marcher.

– C'est bien !

– Vous m'avez sauvé. Merci !

L'Épouvanteur secoua la tête :

– Je n'y suis pour rien, petit ! Le Fléau a brusquement disparu, comme s'il obéissait à un appel. Il a escaladé la colline, ombre noire occultant les étoiles.

Il désigna le désordre macabre qui régnait dans la pièce :

– Un drame atroce s'est déroulé ici. Il nous faut fuir ! Protégeons d'abord nos vies. Nous devrions réussir à échapper à l'Inquisiteur, mais, tant que cette fille nous suivra, le Fléau sera sans cesse à proximité, gagnant chaque jour en puissance. Rejoignons Heysham au plus vite et tâchons de nous débarrasser une fois pour toutes de ce démon !

Nous quittâmes la maison du berger. Nous escaladâmes encore quelques murets avant d'entendre enfin un clapotis d'eau. Mon maître avait presque retrouvé son allure d'avant. Le sommeil lui avait fait du bien. C'était à mon tour de peiner, mal en point comme je l'étais et chargé de nos sacs.

Nous nous engageâmes sur un sentier étroit et pentu qui longeait un torrent sauvage bondissant de rocher en rocher.

– À un mille environ, me signala l'Épouvanteur en allongeant sa foulée, il se jette dans un petit lac de montagne, d'où repartent deux cours d'eau. Voilà ce que nous cherchions.

Il pleuvait plus fort que jamais, et le sol était traître sous nos pieds. Une mauvaise glissade, et nous finirions dans l'eau. Je me demandais si Alice était dans les parages et si elle était capable de marcher aussi près d'une eau courante. Alice était en danger, elle aussi ; les chiens flaireraient sa trace.

Malgré le grondement du torrent et le crépitement de la pluie, les aboiements étaient de plus en plus audibles. La meute se rapprochait. Un cri soudain me figea sur place.

Alice !

Je me retournai, mais l'Épouvanteur m'agrippa le bras pour m'obliger à continuer :

– Nous ne pouvons rien faire, petit ! Rien du tout ! Marche ! Ne traînons pas !

J'obéis, m'efforçant d'ignorer les bruits venant de la pente, au-dessus de nous, des appels, des voix rudes, encore des cris. Puis, peu à peu, le calme revint ; seul le bruit de l'eau emplissait le silence. Le ciel s'éclaircissait, et, à la faible lueur de l'aube, je discernai entre les arbres une pâle étendue d'eau.

J'avais le cœur lourd à la pensée de ce qui attendait Alice.

— Marche, petit ! me répéta l'Épouvanteur.

Une masse noire dévala alors le sentier derrière nous. On aurait dit un animal. Un gros chien.

C'était trop bête ! Nous étions presque arrivés au lac et aux ruisseaux ! Encore dix minutes, et les molosses perdaient notre trace ! Pourtant, à mon grand étonnement, mon maître ne pressa pas l'allure. Il ralentit même. Puis il s'arrêta et me poussa sur le bord du sentier. Je crus qu'il était à bout de forces ; auquel cas nous étions perdus.

Je l'interrogeai du regard, espérant qu'il allait sortir de son sac quelque chose, n'importe quoi qui puisse nous sauver. Il n'en fit rien. L'animal fonçait à présent droit sur nous. Cependant, je remarquai un détail étrange : au lieu d'aboyer furieusement comme un chien poursuivant un gibier, il jappait, et ses yeux regardaient loin devant sans nous voir. Il passa si près que j'aurais pu le toucher.

— Manifestement, cet animal est terrifié, nota l'Épouvanteur. Et, regarde, en voilà un autre !

Le deuxième chien nous frôla, la queue entre les jambes. Deux autres surgirent, puis un cinquième. Aucun ne s'intéressa à nous. Ils filaient ventre à terre sur la pente boueuse.

– Que leur arrive-t-il ? demandai-je.

– Nous le saurons sûrement bientôt, dit mon maître. Continuons !

La pluie cessa comme nous atteignions le lac. Il était assez vaste et calme, sauf à l'endroit où le torrent s'y déversait avec fracas. Nous restâmes un instant à contempler la cascade, qui charriait des brindilles, des feuilles, parfois de grosses branches.

Soudain, un objet volumineux heurta l'eau dans une gerbe d'écume blanche. Il s'enfonça avant de réapparaître à trente pas de là et de se mettre à dériver. Ça ressemblait à un corps humain.

Alice ? Je me ruai vers la berge. Mais l'Épouvanteur me retint par l'épaule.

– Ce n'est pas la fille, fit-il doucement. C'est trop grand. D'ailleurs, tout porte à croire qu'elle a appelé le Fléau ; sinon, pourquoi nous aurait-il laissés tranquilles, tout à coup ? Avec le Fléau auprès d'elle, elle se sera sortie sans peine de toute embûche. Gagnons l'autre rive pour en avoir le cœur net !

Nous longeâmes le pourtour du lac. Quelques minutes plus tard, nous étions sur la berge ouest, sous un majestueux sycomore, les pieds dans une épaisse couche de feuilles mortes. Le corps surnageait à quelque distance de là. J'espérais que l'Épouvanteur avait raison, que le cadavre était trop grand pour être celui d'Alice. Mais, dans cette pâle clarté d'aube, comment en être sûr ? Et si ce n'était pas elle, qui était-ce ?

Ma peur montait ; pourtant, je ne pouvais qu'attendre, tandis que le jour se levait peu à peu et que la masse indistincte glissait lentement vers nous.

Puis les nuages s'écartèrent, et un rayon de lumière nous permit, sans l'ombre d'un doute, d'identifier le mort.

C'était l'Inquisiteur !

Il flottait sur le dos, et seul son visage émergeait de l'eau. Sa bouche grande ouverte et ses yeux écarquillés exprimaient une totale épouvante. À en juger par sa face blême, il avait été vidé de son sang jusqu'à la dernière goutte.

– De son vivant, il a noyé bien des innocents, commenta l'Épouvanteur. Des malheureux sans défense, qui avaient trimé toute leur vie, qui avaient droit à une vieillesse paisible et au respect d'autrui. Maintenant, c'est son tour. Il n'a que ce qu'il méritait.

Imposer l'épreuve de l'eau à une prétendue sorcière était une absurdité. J'étais pourtant obsédé par l'idée que l'Inquisiteur *flottait*. Ce sont les coupables qui flottent ! Les innocents, eux, coulent, comme avait coulé la malheureuse tante d'Alice.

– C'est Alice qui a fait ça, n'est-ce pas ?

L'Épouvanteur hocha la tête :

– Oui, à ce qu'on dirait. En réalité, c'est l'œuvre du Fléau. C'est la deuxième fois qu'elle sollicite son intervention. Son emprise sur elle s'est renforcée, et ce qu'elle voit, il le voit par ses yeux désormais.

Je jetai un coup d'œil anxieux vers l'extrémité du lac, du côté du torrent, là où nous avions quitté le chemin.

– Ne devrions-nous pas reprendre la route ? demandai-je. Les hommes de l'Inquisiteur ne vont-ils pas nous poursuivre ?

– Sans doute, petit, s'il leur reste du souffle. Or, j'ai le sentiment qu'ils ne seront pas d'attaque avant un bon moment. En fait, j'attends quelqu'un. Et, si je ne m'abuse, voilà cette personne...

Je suivis son regard : une frêle silhouette venait d'apparaître sur le sentier.

Alice s'arrêta, fixa un moment la cascade. Puis elle marcha dans notre direction.

Mon maître me mit en garde :

– Rappelle-toi ! Le Fléau voit par ses yeux. Il étudie nos points faibles. Soyons prudents, il surveille nos moindres faits et gestes !

J'avais envie de crier à Alice de fuir. Je n'avais aucune idée de ce que M. Gregory lui réservait. D'un autre côté, je découvrais soudain que cette fille me terrifiait. Au fond de moi, toutefois, je savais que l'Épouvanteur était son ultime espoir. Qui d'autre la délivrerait de l'emprise du Fléau ?

Alice alla jusqu'à la rive pour observer le corps de l'Inquisiteur. Je lus sur son visage un mélange de triomphe et d'effroi.

– Regarde bien ! lui lança mon maître. Examine ton œuvre de près. Es-tu contente de toi ?

– Je lui ai fait payer ses forfaits, déclara-t-elle d'une voix ferme.

– Certes, mais toi ? Quel prix dois-tu payer ? Tu appartiens plus que jamais à l'obscur. Appelle le Fléau une fois encore, et tu seras définitivement perdue.

Alice ne rétorqua rien, et nous restâmes plusieurs minutes à fixer l'eau en silence.

– Viens, petit, me dit enfin l'Épouvanteur, remettons-nous en route ! Le travail nous attend. Quelqu'un d'autre repêchera le cadavre. Quant à toi, jeune fille, si tu as un grain de bon sens, tu nous accompagneras. À présent, écoute-moi attentivement ! Ce que je vais te proposer est ta seule chance de t'en sortir, ta dernière opportunité de t'affranchir de cette créature.

Alice le dévisagea avec de grands yeux.

– Tu sais quel danger tu cours ? reprit-il. Désires-tu en être libérée ?

Elle acquiesça.

– Alors, approche ! ordonna-t-il avec sévérité.

Elle s'avança docilement.

– Où que tu ailles, le Fléau ne sera pas loin. Il faut que tu viennes avec nous. Je préfère savoir où il se tapit, plutôt que de le laisser sillonner le Comté à sa guise en répandant la terreur. Donc, à partir de cet instant, tu seras sourde et aveugle ; ainsi, il ne verra pas par tes yeux, n'entendra pas par tes oreilles. Mais tu dois l'accepter de ton plein gré. La moindre tricherie serait désastreuse, pour toi comme pour nous.

Farfouillant dans son sac, il exhiba un morceau de tissu noir, qu'il montra à Alice :

– Ceci est un bandeau à nouer sur tes yeux. Le porteras-tu ?

Elle accepta d'un signe de tête. Il tendit alors sa paume ouverte :

– Quant à ces petites boules de cire, elles te boucheront les oreilles.

Chacune était munie d'une mince cheville d'argent, permettant de la retirer aisément.

Alice les regarda d'un œil suspicieux ; puis elle pencha la tête d'un côté, de l'autre, et se laissa obturer les oreilles. Après quoi, l'Épouvanteur lui couvrit les yeux du bandeau, qu'il noua bien serré.

Nous reprîmes la route en direction du nord-est. L'Épouvanteur guidait Alice en la tenant par le coude. J'espérais qu'on ne croiserait personne en chemin. Notre trio avait de quoi intriguer, et mieux valait ne pas trop attirer l'attention...

19

Les pierres tombales

I l faisait jour ; nous n'avions donc rien à craindre
du Fléau dans l'immédiat. Il devait se terrer
quelque part, comme toute créature de l'obscur.
Alice ayant les yeux bandés et les oreilles bouchées,
il ne pouvait ni nous voir ni nous entendre, il ne
saurait nous trouver.

Je m'attendais à une nouvelle et dure journée
de marche, me demandant si nous atteindrions
Heysham avant la nuit. Or, l'Épouvanteur nous
emmena dans une grande ferme. Nous sonnâmes à
la grille, ce qui déclencha de furieux aboiements de
chiens. Un homme s'approcha en boitant, appuyé
sur une canne. Il se montra fort agité.

– Je suis désolé, croassa-t-il. Vraiment désolé. Ma situation n'a pas changé. Si j'avais de quoi, je vous réglerais.

Il s'avéra que, cinq ans auparavant, l'Épouvanteur avait débarrassé la ferme d'un gobelin malfaisant et n'avait toujours pas été payé. Aujourd'hui, mon maître réclamait son dû, mais pas sous forme d'argent.

Une demi-heure plus tard, nous voyagions dans une carriole tirée par le plus énorme cheval de trait que j'aie jamais vu. Le fils du fermier tenait les rênes. En s'installant sur son banc, il avait fixé Alice avec des yeux ronds, troublé par son bandeau.

– Occupe-toi de ton attelage au lieu de guigner cette fille ! lui avait lancé sèchement l'Épouvanteur.

Le garçon avait vite détourné le regard. Il paraissait plutôt content de nous servir de cocher et de délaisser pour quelques heures les corvées de la ferme.

Nous prîmes bientôt la route qui contournait Caster. L'Épouvanteur fit allonger Alice au fond de la carriole et la recouvrit de paille pour que personne ne remarque sa présence, au cas où nous croiserions d'autres voyageurs.

Le cheval était accoutumé à tirer de lourdes charges. N'ayant que nous trois à transporter en plus du jeune fermier, il trottait allégrement. Au loin, nous apercevions la cité avec son château.

Bien des sorcières y avaient été condamnées après un long procès. Mais, à Caster, on ne les brûlait pas ; elles étaient pendues.

Pour employer une expression de mon père du temps où il était marin, nous croisâmes au large. Passé la ville, nous franchîmes un pont qui enjambait la rivière Lune, et continuâmes en direction de Heysham.

Dès que nous eûmes atteint les faubourgs, l'Épouvanteur ordonna au fils du fermier de nous attendre sur un bas-côté.

– Nous serons de retour à l'aube, lui dit-il. Ne t'inquiète pas, tu seras justement récompensé de ta patience.

Nous suivîmes une ruelle pentue qui grimpait sur la colline, longeant une vieille église et son cimetière. De ce côté, abrité du vent, tout était tranquille. Des arbres centenaires enveloppaient de leur ombre d'anciennes pierres tombales. Mais, une fois au sommet, une bise glacée nous souffla en plein visage l'odeur salée de la mer. Devant nous s'élevaient les ruines d'une petite chapelle. Seuls trois murs de pierre tenaient encore debout. De cette hauteur, on découvrait la baie, en contrebas, une plage de sable presque entièrement submergée par la marée haute et un étroit promontoire rocheux, à quelque distance de là, que les vagues éclaboussaient.

– La plupart de nos côtes sont plates, m'expliqua l'Épouvanteur. Cette falaise est la plus élevée du Comté. C'est là, dit-on, que les premiers habitants ont accosté. Ils venaient d'un lointain pays de l'ouest, et leur bateau s'est échoué sur ces rochers. Ce sont leurs descendants qui ont élevé cette chapelle.

Il tendit le doigt, et, derrière les ruines, je vis les tombes.

– Il n'y a pas de sépultures semblables dans tout le Comté, commenta-t-il.

Au bord de la falaise, taillés dans de larges blocs, six sarcophages en forme de corps humain étaient alignés, étroitement fermés. Ils étaient de longueurs différentes, mais plutôt petits, comme conçus pour des enfants. Il s'agissait des tombes de membres du Petit Peuple, les six premiers fils du roi Hey.

L'Épouvanteur s'agenouilla devant la plus proche. Sur la partie supérieure de chaque pierre tombale, il y avait un trou carré. Mon maître en suivit le pourtour de son index. Puis il étendit sa main gauche. Sa paume recouvrait exactement la cavité.

– À quoi cela pouvait-il bien servir ? grommela-t-il dans sa barbe.

– De quelle taille étaient les gens du Petit Peuple ? demandai-je.

En y regardant de plus près, je me rendis compte

que les tombes n'étaient pas aussi petites qu'on aurait cru au premier regard.

En guise de réponse, l'Épouvanteur sortit de son sac une baguette pliante servant à mesurer.

– Celle-ci fait environ cinq pieds de long, annonça-t-il, et, au milieu, sa largeur est de treize pouces et demi. Mais il est possible que les morts aient été ensevelis avec des objets usuels, qui leur seraient utiles dans l'autre monde. Peu de gens, chez le Petit Peuple, dépassaient cinq pieds, et la plupart faisaient moins que ça. Au fil des années, chaque génération a gagné en taille, à cause des mariages avec les étrangers venus de la mer. Aussi n'ont-ils pas totalement disparu. Leur sang coule dans nos veines.

L'Épouvanteur se tourna vers Alice et, à mon grand étonnement, dénoua son bandeau. Puis il ôta de ses oreilles les boules de cire et replaça soigneusement le tout dans son sac. Alice papillota des paupières et regarda autour d'elle. Ce qu'elle vit ne sembla pas lui plaire.

– Je n'aime pas cet endroit, gémit-elle. Quelque chose ne va pas, je le sens.

– En vérité, jeune fille ? fit l'Épouvanteur. Voilà la phrase la plus intéressante que tu aies dite aujourd'hui ! C'est bizarre... Pour moi, ce lieu est fort agréable. Rien de plus revigorant qu'une bonne goulée d'air marin !

Personnellement, je ne trouvais plus l'air si revigorant. Le vent était tombé, des tentacules de brouillard montaient de la mer, et il faisait de plus en plus froid. Dans une heure, ce serait la nuit. Je comprenais le malaise d'Alice. Mieux valait éviter de s'attarder dans les parages après le coucher du soleil. Je percevais une présence, et elle ne me semblait guère amicale.

– Un esprit hante les parages, signalai-je à mon maître.

– Asseyons-nous et laissons-lui le temps de s'habituer à nous, déclara-t-il. Nous n'avons pas l'intention de l'effrayer, n'est-ce pas... ?

– Est-ce le fantôme de Maze ?

– Je l'espère, petit. Je l'espère de tout cœur. Nous le saurons bientôt. Un peu de patience !

Nous restâmes assis sur un talus herbeux, non loin des tombes, tandis que le jour baissait lentement. J'étais de plus en plus tendu.

– Qu'arrivera-t-il quand il fera tout à fait noir ? m'inquiétai-je. Le Fléau ne va-t-il pas apparaître ? Maintenant que vous avez ôté le bandeau d'Alice, il peut nous repérer.

– Je pense que nous sommes relativement en sécurité, petit, me répondit l'Épouvanteur. C'est probablement le seul endroit dans tout le Comté dont il préfère se tenir éloigné. Si je ne m'abuse, à cause de ce qui s'est accompli ici, le Fléau ne s'approchera pas à moins d'un mille. Il sait sans doute où nous sommes ; toutefois, il n'y a pas grand-chose qu'il puisse tenter. N'ai-je pas raison, jeune fille ?

Alice approuva, frissonnante :

– Il essaie de me parler. Mais sa voix est faible, lointaine. Il n'arrive pas à pénétrer dans ma tête.

– C'est exactement ce que j'escomptais, dit mon maître. Nous n'avons pas perdu notre temps en faisant ce voyage.

– Il veut que je parte. Il veut que j'aille à lui...

– Et *toi*, tu le veux ?

Alice fit non de la tête.

– Heureux de l'apprendre, jeune fille. Car, si tu te sers de lui une troisième fois, plus personne ne pourra te venir en aide. Où se cache-t-il, en ce moment ?

– Dans une caverne noire et humide, profondément sous terre. Il n'a trouvé que quelques ossements. Il a faim.

– Parfait ! Il est temps de se mettre à l'ouvrage.

Il désigna la chapelle :

– Vous deux, abritez-vous entre ces murs. Tâchez de dormir un peu pendant que je veille.

Sans discuter, nous allâmes nous installer sur l'herbe, dans les ruines, à un endroit d'où nous pouvions voir l'Épouvanteur et les tombes. Je croyais qu'il s'assoirait, mais il resta debout, la main gauche serrée sur son bâton. J'étais fatigué et ne fus pas long à m'endormir.

Je m'éveillai bientôt en sursaut : Alice me secouait.

– Qu'est-ce qui ne va pas ? soufflai-je.

– Il perd son temps ! murmura-t-elle en désignant l'Épouvanteur, accroupi près des tombes. Il y
a quelque chose, tout proche, mais de l'autre côté,
contre la haie.

– Tu es sûre ?

Elle confirma d'un signe de tête :

– Va le lui dire, toi ! Il se fâchera si ça vient de
moi.

Je m'avançai et appelai à voix basse :

– Monsieur Gregory ?

Il ne bougea pas, et je me demandai s'il ne s'était
pas endormi dans cette position. Puis, lentement,
dépliant son grand corps, il se releva et tourna le
buste vers moi sans déplacer ses pieds.

Malgré quelques trouées dans les nuages, la lueur
des étoiles était trop faible pour que je voie son
visage. Je ne distinguais qu'un ovale noir sous
son capuchon.

– Alice dit qu'il y a quelque chose derrière la
haie.

– Elle dit ça ? marmonna-t-il. Alors, allons jeter
un coup d'œil.

Nous nous dirigeâmes de ce côté. Plus nous en
approchions, plus il faisait froid. Alice avait raison :
un esprit errait dans les parages.

Soudain, l'Épouvanteur se jeta à genoux et se mit à arracher l'herbe. Je m'agenouillai à mon tour pour l'aider.

Nous dégageâmes deux autres tombes. La première mesurait environ cinq pieds de long ; la deuxième était moitié plus petite. C'était la plus petite de toutes.

– Quelqu'un de l'ancienne lignée, un être au sang pur, est enterré ici, déclara mon maître. Le fantôme qui hante ces lieux est bien celui de Maze ! Éloigne-toi, petit ! Tiens-toi à distance !

– Je ne peux pas rester vous écouter ?

L'Épouvanteur secoua la tête.

– Vous n'avez pas confiance en moi ?

– Et toi, répliqua-t-il, as-tu confiance en toi-même ? Pose-toi la question ! D'une part, le fantôme apparaîtra plus volontiers à un seul d'entre nous. D'autre part, mieux vaut que tu n'entendes pas ce que nous dirons. Le Fléau lit dans les pensées, rappelle-toi ! Es-tu assez fort pour l'en empêcher ? Il ne doit pas découvrir notre plan, ni savoir que nous connaissons ses faiblesses. Quand il a fouillé ton cerveau, pendant ton cauchemar, à la recherche d'indices, es-tu sûr de ne rien avoir laissé échapper ?

Non, je n'en étais pas sûr.

– Tu es un garçon courageux, le plus courageux que j'aie eu à former. Seulement, tu n'es encore qu'un apprenti, ne l'oublions ni l'un ni l'autre. Aussi, éloigne-toi, petit ! m'ordonna-t-il, accompagnant ses paroles d'un geste de la main.

J'obéis et regagnai les ruines. Alice s'était endormie. Je m'allongeai près d'elle, mais je ne tenais pas en place, trop curieux de savoir ce que révélerait le fantôme de Maze. Quant à la mise en garde de l'Épouvanteur à propos du Fléau et de ce qu'il avait peut-être déniché dans ma tête, elle ne m'inquiétait pas outre mesure. Ici, nous étions à l'abri de ses manigances, et, si mon maître trouvait ce qu'il cherchait, le sort du démon serait réglé avant la prochaine nuit.

Je quittai donc mon abri et rampai le long du mur. Je n'en étais pas à ma première désobéissance ; toutefois jamais l'enjeu n'avait été aussi important. Je m'assis, dos au mur, et patientai.

Je n'eus pas à attendre longtemps. Je commençai à avoir très froid et me mis à grelotter. L'un des morts approchait. Était-ce bien le fantôme de Maze ?

Au-dessus de la plus petite tombe brillait un faible halo. Sa forme n'était pas vraiment humaine : ce n'était qu'une colonne de lumière, arrivant à peine aux genoux de l'Épouvanteur. Aussitôt, celui-ci l'interrogea. Il n'y avait pas un souffle d'air, et, même s'il chuchotait, j'entendais chacun de ses mots :

– Parle ! Parle, je te l'ordonne !

Laisse-moi ! Laisse-moi reposer en paix !

Maze était mort en pleine jeunesse. Pourtant, la voix était celle d'un très vieil homme, rauque, hachée, emplie d'une immense lassitude. Cela ne signifiait pas pour autant que cette voix n'était pas la sienne. Mon maître m'avait appris que les fantômes ne s'expriment pas à la façon des vivants. Ils s'adressent directement à votre esprit ; c'est pourquoi il est possible de communiquer avec quelqu'un ayant vécu des siècles auparavant ou parlant une autre langue.

L'Épouvanteur s'exprima avec solennité :

– Je suis John Gregory, le septième fils d'un septième fils. Je viens achever ce qui a été entrepris autrefois, pour que cessent les maléfices du Fléau et que tu trouves la paix. Mais j'ai besoin d'apprendre certaines choses. D'abord, quel est ton nom ?

Il y eut un long silence, et je crus que le fantôme resterait muet. La réponse vint enfin :

Je suis Maze, septième fils du roi Heys. Que désires-tu savoir ?

– Il est temps de mener cette tâche à son terme, reprit l'Épouvanteur. Le Fléau est en liberté ; il aura retrouvé sous peu sa pleine puissance et menacera le pays tout entier. Il doit être détruit. Je suis venu à toi pour que tu m'instruises. Comment l'as-tu enfermé dans les catacombes ? Comment peut-on le tuer ? Me le révéleras-tu ?

Es-tu fort ? demanda la voix. *Es-tu capable de verrouiller ton esprit ? D'empêcher le Fléau de lire dans tes pensées ?*

– Je le peux.

En ce cas, peut-être y a-t-il un espoir. Je vais te dire ce que j'ai fait, comment j'ai entravé le Fléau. Pour commencer, j'ai passé un pacte avec lui, en lui offrant mon sang. Ensuite, je l'ai autorisé à s'en abreuver de nouveau à trois reprises ; en retour, il devait obéir trois fois à mes ordres.

Au plus profond des catacombes de Priestown, il y a une chambre funéraire. Elle abrite une urne contenant les cendres de nos Anciens, les Pères fondateurs de notre peuple. C'est dans cette chambre que j'ai invité le Fléau à me rejoindre afin de lui offrir mon sang. Après quoi, je me suis montré un maître exigeant.

La première fois, je l'ai sommé de se tenir éloigné des sépultures de mon père et de mes frères, désirant qu'ils reposent en paix. Le Fléau en a été consterné : le tumulus était une de ses résidences favorites, où il se terrait pendant les heures du jour, se nourrissant des ossements des morts et aspirant les restes de leur mémoire. Mais un pacte est un pacte, et il était tenu d'obéir. La deuxième fois, je l'ai envoyé aux confins de la Terre, en quête de connaissance, l'écartant ainsi pendant un mois et un jour. Cela m'a donné le temps dont j'avais besoin.

J'ai alors mis mon peuple au travail : il a forgé la

Grille d'Argent. Même après son retour, le Fléau n'en a rien su, car je gardais mes pensées secrètes.

Après lui avoir donné mon sang pour la troisième fois, je lui ai dit ce que j'attendais de lui, annonçant d'une voix forte le prix qu'il avait à payer.

« Tu resteras lié aux catacombes, ai-je ordonné, confiné dans ses profondeurs sans espoir d'en sortir. Cependant, comme je ne supporte pas qu'un être, aussi pernicieux soit-il, endure une telle captivité sans la moindre lueur d'espoir, j'ai fait placer la Grille d'Argent. Si se trouve un jour quelqu'un d'assez fou pour t'ouvrir cette grille, tu pourras la franchir et recouvrer ta liberté. Sache toutefois que, si tu retournes dans ces souterrains, tu y resteras captif pour l'éternité. »

Voilà ce que me dicta mon cœur trop clément, et l'entrave ne fut pas aussi efficace qu'elle aurait dû. Toute ma vie, je me suis montré compatissant. Certains estimaient que c'était une faiblesse ; en cette occasion, je leur ai donné raison. Car je n'ai su me résoudre à condamner le Fléau lui-même à une éternité d'emprisonnement sans lui laisser la plus petite chance de s'échapper.

– Tu as accompli l'essentiel du travail, déclara l'Épouvanteur. À moi de l'achever. Si nous le ramenons là-bas, il sera entravé pour toujours. C'est déjà une bonne chose. Mais cette créature est si malfaisante que la tenir enfermée ne suffit pas. Il faut la détruire. Comment peut-elle être tuée ? Le sais-tu ?

Premièrement, le démon devra avoir repris son apparence charnelle. Deuxièmement, il devra se trouver au plus profond des catacombes. Troisièmement, son cœur devra être percé par une pointe d'argent. Il ne mourra que si ces trois conditions sont remplies. Sache toutefois que celui qui prendra le risque de le tuer se mettra en grand danger : dans les affres de l'agonie, une telle énergie émanera du Fléau que son meurtrier périra presque certainement avec lui.

L'Épouvanteur lâcha un profond soupir :

– Je te remercie. La lutte sera dure, mais elle doit être entreprise, quel que soit le prix à payer. Toi, ta tâche est achevée. Va en paix !

Le fantôme de Maze émit en réponse un râle si effrayant, si désespéré, que les cheveux se dressèrent sur ma nuque.

Il n'y aura pas de paix pour moi, gémit-il. *Pas de paix tant que le Fléau ne sera pas mort…*

Sur ces mots, la forme lumineuse s'évanouit.

Je me faufilai en vitesse dans les ruines. Quelques instants plus tard, l'Épouvanteur arriva. Il s'étendit sur l'herbe et ferma les yeux.

– J'ai de sérieux sujets de réflexion, murmura-t-il.

Je restai muet. Je me sentais soudain coupable d'avoir écouté sa conversation avec le fantôme. Je craignais presque, si je lui en parlais, qu'il m'envoie affronter seul le Fléau !

– Je t'expliquerai tout quand il fera jour, me souffla-t-il. Pour l'instant, dormons un peu. Ce serait dangereux de quitter ces lieux avant le lever du soleil.

Contre toute attente, je dormis bien. Je fus éveillé un peu avant l'aube par un curieux cliquetis. C'était l'Épouvanteur qui affûtait la lame rétractable de son bâton avec une pierre à aiguiser. Il travaillait avec méthode, éprouvant de temps à autre le tranchant du bout du doigt. Enfin, il s'estima satisfait, et la lame s'escamota dans le bois avec un bruit sec.

Je m'étirai longuement tandis que mon maître farfouillait dans son sac.

– Nous avons le moyen de vaincre le Fléau, me dit-il. C'est réalisable, même si c'est la tâche la plus périlleuse que nous ayons jamais eu à entreprendre. Si j'échoue, ce sera dramatique pour tout le monde.

– Comment ferons-nous ? demandai-je, embarrassé, puisque je connaissais déjà la procédure.

Il passa devant moi sans répondre et marcha vers Alice, qui se relevait en se frictionnant les genoux. Il lui noua le bandeau sur les yeux, puis, avant de lui obturer les oreilles, il lui dit :

– Écoute-moi, jeune fille, c'est capital ! Lorsque je te débarrasserai de ça, ce soir, tu devras faire ce que je t'ordonnerai, immédiatement et sans poser de questions. Compris ?

Elle hocha la tête, et il l'équipa des bouchons de cire. Alice étant de nouveau sourde et aveugle, le Fléau resterait dans l'ignorance de nos projets. À moins qu'il réussisse à lire dans mon esprit...

Mon malaise s'accentuait : j'en savais trop !

– À présent, reprit mon maître en se tournant vers moi, je vais t'annoncer quelque chose qui ne te plaira pas : nous retournons à Priestown, nous redescendons dans les catacombes.

Il empoigna Alice par le bras et la guida jusqu'à la carriole, où le fils du fermier nous attendait. L'Épouvanteur lui dit :

– Tu vas nous conduire à Priestown aussi vite que ton cheval le pourra !

– Ce n'était pas prévu ! protesta le garçon. Mon père compte sur moi pour midi. J'ai du travail.

L'Épouvanteur lui tendit une pièce d'argent :

– Tiens, prends ça ! Et, si nous arrivons là-bas en fin de journée, tu en auras une deuxième. Ton père ne te reprochera pas ton retard, il a besoin d'argent.

Alice s'allongea à nos pieds, et mon maître la dissimula sous la paille. Puis la carriole s'ébranla. Après avoir contourné Caster, au lieu de remonter vers les collines, nous prîmes la direction de Priestown.

– N'est-ce pas dangereux de nous montrer là-bas en plein jour ? m'inquiétai-je.

La route était encombrée d'attelages et de marcheurs. Nerveux, j'insistai :

– Et si les hommes de l'Inquisiteur nous repèrent ?

– Je n'ai pas dit que c'était sans risque. Néanmoins, ceux qui étaient à nos trousses sont probablement en train de s'occuper du corps. Nul doute qu'ils vont le transporter à Priestown pour les funérailles ; celles-ci n'auront pas lieu avant demain. D'ici là, notre tâche sera terminée, et nous serons déjà sur le chemin du retour. D'autre part, l'orage nous sera propice. Les gens sensés se calfeutreront chez eux, à l'abri de la pluie.

Je regardai le ciel. Les nuages, au sud, ne me paraissaient guère menaçants. Quand je lui en fis la remarque, mon maître sourit :

– Tu as encore beaucoup à apprendre, petit. Ce sera l'un des plus violents orages qui soient.

– Il a tellement plu ! On mériterait quelques jours de beau temps, marmonnai-je.

– Certes ! Seulement, ce qui se prépare est loin d'être un phénomène naturel. Sauf erreur, c'est l'œuvre du Fléau, comme la tempête qui a assailli ma maison. Encore un signe de sa puissance ! Il va déchaîner les éléments pour exprimer sa rage et sa frustration de ne pouvoir utiliser Alice à son gré. Profitons-en : pendant qu'il se concentre là-dessus, il ne se soucie pas de nous. Et cela nous aidera à pénétrer en ville sans problème.

– Pourquoi faut-il retourner dans les catacombes pour tuer le Fléau ? demandai-je dans l'espoir qu'il me révélerait ce que je savais déjà.

De la sorte, je n'aurais plus besoin de jouer les ignorants.

– Parce que c'est là que j'aurai une chance de le détruire. Et parce que, au cas où je n'y parviendrais pas, une fois enfermé là-dedans, la Grille d'Argent verrouillée, il sera de nouveau prisonnier. Et cela pour toujours. C'est ce que m'a révélé le fantôme de Maze. Ainsi, même si j'échoue, j'aurai au moins rétabli la situation. Mais assez de questions ! J'ai besoin de silence pour me préparer à ce qui m'attend...

Nous n'échangeâmes plus un mot avant d'atteindre les faubourgs de Priestown. Le ciel était maintenant d'un noir de poix, traversé d'éclairs zigzaguants, et des coups de tonnerre éclataient au-dessus de nos têtes. La pluie s'abattit sur nous, transperçant nos vêtements. Je ne supportais pas d'être mouillé ainsi ; je plaignais surtout Alice, allongée au fond de la carriole, baignant dans un demi-pouce d'eau, sans rien voir ni rien entendre, ignorant où on la conduisait et quand elle arriverait à destination.

Le voyage s'interrompit pour moi plus tôt que je le prévoyais. Au dernier carrefour, juste avant d'entrer en ville, l'Épouvanteur demanda au fils du fermier de s'arrêter.

– C'est ici que tu descends, me déclara-t-il d'un ton sans réplique.

Je le regardai, ahuri. La pluie lui dégoulinait le long du nez et lui trempait la barbe. Il me fixait sans ciller, le regard dur. Il désigna la route étroite qui remontait vers le nord-est :

– Je veux que tu retournes à Chipenden. Tu iras à la cuisine et tu avertiras mon gobelin que je risque de ne pas revenir. Dis-lui qu'en ce cas il devra tenir la maison en ordre pour le jour où, ayant terminé ton apprentissage, tu t'y installeras. Ensuite, tu te rendras à Caster, où tu te présenteras à Bill Arkwrigt, l'Épouvanteur local. Il est un peu obtus, mais c'est un homme honnête, et il prendra en main les dernières années de ta formation. Après quoi, tu retourneras à Chipenden et tu continueras d'étudier. Tu te plongeras dans mes livres, puisque je ne serai plus là pour t'instruire.

– Mais... pourquoi ? balbutiai-je. Qu'est-ce qui ne va pas ? Pourquoi ne reviendriez-vous pas ?

Encore une question dont je connaissais la réponse.

L'Épouvanteur secoua la tête avec lassitude :

– Parce qu'il n'a qu'un seul moyen de vaincre le Fléau, et qu'il me coûtera sans doute la vie. Celle de la fille également, à mon avis. C'est dur, petit, mais c'est ainsi. Un jour peut-être, dans bien des années, tu seras confronté toi-même à pareille tâche, ce que je ne te souhaite pas. Mon ancien maître est mort dans des conditions similaires ; aujourd'hui, c'est mon tour. L'histoire se répète, et il nous faut être prêts à nous sacrifier. C'est la rançon de notre métier, tu t'y accoutumeras.

L'Épouvanteur pensait-il à cet instant à la malédiction qui pesait sur lui ? Était-ce aussi à cause de ça qu'il s'attendait à mourir ? Or, s'il mourait, il n'y aurait plus personne dans ces profondeurs pour protéger Alice. Elle serait à la merci du Fléau. Je m'insurgeai :

– Et Alice ? Vous ne l'avez pas prévenue de ce qui l'attendait ! Vous vous servez d'elle !

– Il n'y a pas d'autre solution. De toute façon, elle est allée trop loin pour être sauvée, à moins que le Fléau soit détruit. C'est le mieux que je puisse faire. Et, si elle meurt, son esprit sera libéré, et elle ne sera plus liée à ce démon.

– S'il vous plaît ! suppliai-je. Laissez-moi venir avec vous ! Laissez-moi vous aider !

– La meilleure façon de m'aider est d'obéir à mes instructions, rétorqua-t-il avec impatience.

Me saisissant par le bras, il me força rudement à descendre. Déséquilibré, je tombai sur les genoux. Lorsque je me relevai, la carriole s'éloignait déjà. L'Épouvanteur ne jeta pas un regard en arrière.

20

La lettre de maman

J'attendis que la carriole soit presque hors de vue avant de la suivre, réprimant les sanglots qui me serraient la gorge. Je n'avais encore aucune idée de ce que j'allais faire, mais je ne supportais pas le tour que prenaient les événements. L'Épouvanteur s'était résigné à son sort, et la pauvre Alice ignorait le sien.

Je ne risquais guère d'être repéré. La pluie tombait à verse, et le ciel était si noir qu'on se serait cru au beau milieu de la nuit. Toutefois, l'Épouvanteur avait l'ouïe fine et le regard perçant ; si je m'approchais trop, il le saurait tout de suite. Aussi alternai-je la marche et la course, tout en conservant une distance prudente.

Les rues de Priestown étaient désertes. Malgré le bruit de la pluie, et bien que l'attelage fût loin devant, je percevais le claquement des sabots et le grondement des roues sur les pavés.

Bientôt, la flèche de la cathédrale apparut au-dessus des toits, confirmant la destination de l'Épouvanteur : il se dirigeait vers la maison hantée, dont la cave donnait accès aux catacombes.

J'eus alors une impression très étrange : une minuscule aiguille de glace venait de se planter dans mon crâne. Je n'avais rien éprouvé de semblable auparavant ; pourtant, il ne m'en fallut pas davantage pour comprendre l'avertissement. Je fis en sorte de vider mon esprit, juste avant que la voix du Fléau retentisse :

Enfin, je te retrouve !

D'instinct, je m'arrêtai et fermai les yeux. Certes, la créature ne voyait pas par mes yeux ; je gardai néanmoins les paupières closes. L'Épouvanteur m'avait appris que la vision du Fléau était différente de la nôtre. Il était capable de vous repérer, telle une araignée reliée à sa proie par un mince fil de soie, mais sans savoir précisément où vous étiez. Cependant, si je distinguais la moindre chose, l'image s'infiltrerait dans mes pensées. Le Fléau les passerait au crible et découvrirait des indices de ma présence à Priestown.

Où es-tu, petit ? Autant me le dire ! Tôt ou tard, tu me le révéleras. De gré ou de force. Choisis !

L'aiguille de glace s'enfonça plus profondément, et mon cerveau s'engourdit, comme ce jour d'hiver où mon frère James m'avait poursuivi pour me fourrer de la neige dans les oreilles.

– Je rentre à la maison, mentis-je. Je rentre me reposer.

Tout en parlant, je m'imaginais marchant dans la cour de notre ferme ; la colline du Pendu était derrière moi, noyée par le crépuscule ; les chiens aboyaient ; j'approchais de la porte de la maison, pataugeant dans les flaques ; la pluie me mouillait le visage...

Où est Vieille Carne ? Dis-le-moi ! Où va-t-il avec la fille ?

– Il retourne à Chipenden. Il veut enfermer Alice dans une fosse. J'ai tenté de l'en dissuader, il a refusé de m'écouter. Il procède toujours ainsi avec une sorcière.

Pendant ce temps, en pensée, j'ouvrais la porte et entrais dans la cuisine. Les rideaux étaient tirés ; sur la table, les bougies brûlaient dans le chandelier de cuivre ; maman se balançait sur son rocking-chair ; en me voyant, elle se levait avec un sourire...

À cet instant, l'éclat de glace fondit dans ma tête, et je sus que le Fléau était parti. Je ne l'avais pas empêché de lire dans mon esprit ; malgré tout, je l'avais trompé. J'avais gagné !

Oui, mais... S'il préparait une nouvelle incursion ? Pire, s'il s'attaquait à ma famille ?

Mon exaltation retomba d'un coup.

Je me précipitai en direction de la maison hantée. Quelques minutes plus tard, percevant de nouveau le bruit caractéristique de la carriole, je me remis à la suivre, tantôt marchant, tantôt courant.

L'attelage s'arrêta enfin, pour repartir presque aussitôt. Je n'eus que le temps de me jeter dans une ruelle avant qu'il passe devant moi en cahotant. Le fils du fermier secoua les rênes, et les sabots du gros cheval claquèrent plus vite sur les pavés humides. Le garçon avait hâte de retourner chez lui, et je n'aurais su l'en blâmer.

Je patientai un peu, pour laisser à Alice et à l'Épouvanteur le temps de pénétrer dans la maison. Puis je remontai la rue en hâte et soulevai le loquet de la porte de l'arrière-cour.

Comme je l'avais prévu, mon maître avait verrouillé celle de la maison. Qu'importe ! J'avais toujours la clé d'Andrew.

Quelques secondes plus tard, j'étais dans la cuisine. J'allumai le bout de chandelle que j'avais fourré dans ma poche en fuyant ces lieux avec Alice. Je descendis à la cave et pris l'escalier menant aux catacombes.

Un cri retentit au loin, et je devinai ce qui se passait : l'Épouvanteur franchissait la rivière souterraine en portant Alice. Malgré ses yeux bandés et ses oreilles bouchées, elle avait senti la proximité de l'eau courante.

Bientôt, je sautais à mon tour de pierre en pierre pour traverser le cours d'eau. J'atteignis la Grille d'Argent juste à temps. Alice et l'Épouvanteur étaient déjà de l'autre côté, et mon maître, agenouillé, s'apprêtait à la refermer.

Il me foudroya du regard en me voyant :

– J'aurais dû m'en douter ! Ta mère ne t'a donc pas appris l'obéissance ?

Soudain, je compris ses raisons : il avait voulu me protéger. Je m'élançai néanmoins, agrippai la grille et la tirai pour l'ouvrir. Mon maître résista un moment, puis renonça et repassa de mon côté, son bâton à la main.

Je ne savais que dire. Mon esprit était confus. Je n'avais pas la moindre idée de ce que j'espérais en les accompagnant. Quelque chose me revint alors en mémoire.

– Je veux vous aider, m'écriai-je. Andrew m'a rapporté les termes de la malédiction : que vous mourriez seul, dans le noir, sans un ami à vos côtés ! Alice n'est pas votre amie ; moi, je le suis. Si je reste avec vous, cela ne se réalisera pas...

Il leva le bâton au-dessus de sa tête comme s'il allait me battre. Il me dominait de toute sa taille ; je l'avais rarement vu dans une telle colère. Puis il avança d'un pas et me gifla. Je reculai en titubant, aussi surpris que consterné.

Le coup n'avait pas été violent ; pourtant les larmes me montèrent aux yeux. Même papa ne m'avait jamais frappé ainsi ! Je n'arrivais pas à croire que l'Épouvanteur ait osé le faire ; je me sentais blessé. Cela m'était plus douloureux qu'aucune souffrance physique.

Il me dévisagea longuement, secouant la tête comme si je l'avais profondément déçu. Il repassa la grille et la verrouilla.

– Obéis à mes ordres ! ordonna-t-il. Tu es né dans ce monde pour une raison précise. Ne t'acharne pas sur ce à quoi tu ne peux rien. Si tu ne le fais pas pour moi, fais-le pour ta mère, pour sa tranquillité. Retourne à Chipenden ! Puis va à Caster, comme je te l'ai commandé. C'est ce qu'elle désire. Comporte-toi de façon qu'elle soit fière de toi !

Sur ces mots, l'Épouvanteur tourna les talons et, tenant Alice par le bras pour la guider, il s'enfonça avec elle dans la galerie. Je ne les quittai pas du regard tant qu'ils n'eurent pas disparu.

Je ne sais combien de temps je demeurai là, fixant la grille verrouillée, la tête vide.

Enfin, ayant perdu tout espoir, je revins sur mes pas. Que faire ? Obéir ? Retourner à Chipenden et me rendre ensuite à Caster ? Qu'envisager d'autre ? Je ne pouvais m'ôter de l'esprit que l'Épouvanteur m'avait giflé. C'était probablement notre dernière entrevue, et nous nous étions séparés dans la colère et la déception.

Je retraversai la rivière souterraine, suivis le chemin pavé et remontai dans la cave. Là, je m'assis sur le tapis moisi pour réfléchir. Je me souvins alors qu'il y avait une autre entrée par où pénétrer dans les catacombes : la trappe donnant dans le cellier du presbytère, celle par où les prisonniers s'étaient échappés ! Peut-être l'atteindrais-je sans être repéré ? À une heure où tous les prêtres seraient dans la cathédrale... ?

Toutefois, même si je parvenais à m'introduire dans les catacombes, j'ignorais de quelle manière venir en aide à mon maître. Il serait trop stupide de lui désobéir encore une fois pour rien. N'allais-je pas y laisser la vie, alors qu'il était de mon devoir de continuer mon apprentissage à Caster ? L'Épouvanteur n'avait-il pas raison ? Maman penserait-elle aussi que c'était l'unique solution ? Les pensées tourbillonnaient dans ma tête, et aucune réponse claire ne m'apparaissait.

Il m'était difficile de prendre un parti ; néanmoins, l'Épouvanteur m'avait toujours recommandé de m'appuyer sur mon intuition. Or, celle-ci me poussait à agir. Je me rappelai tout à coup la lettre de maman. « N'ouvre cette lettre qu'en cas d'extrême nécessité, m'avait-elle dit. Suis ton instinct... » Eh bien, le moment était venu.

Je pris l'enveloppe dans la poche de ma veste, les mains tremblantes. Après quelques secondes d'hésitation, je la déchirai, en sortis le papier, que je dépliai. Levant la chandelle, je lus :

Cher Tom,

Tu te prépares à affronter un grand danger. Je ne m'attendais pas à ce que cela se produise aussi tôt. À présent, tout ce que je puis faire est de t'y préparer en te révélant ce contre quoi tu dois lutter, et les conséquences que peuvent entraîner tes décisions.

Bien des éléments me demeurent cachés, mais d'un au moins je suis certaine : ton maître va descendre jusqu'à la chambre funéraire, au plus profond des catacombes. Là, il combattra le Fléau, dans une lutte sans merci. Pour l'attirer, il utilisera Alice ; il n'a pas le choix. Toi, tu as le choix. Tu peux les rejoindre et essayer de leur porter secours.

Des trois qui affronteront le Fléau, deux seulement sortiront vivants des galeries. Toutefois, si maintenant tu renonces, sache que ceux qui sont déjà en bas mourront, et qu'ils mourront pour rien.

En cette vie, il est parfois nécessaire de se sacrifier pour que d'autres soient sauvés. J'aurais voulu t'offrir confort et sécurité ; c'est impossible. Sois fort et agis selon ta conscience ! Quelque décision que tu prennes, je serai toujours fière de toi.

Ta maman

Une phrase de l'Épouvanteur me revint à l'esprit. Peu de temps après que j'étais devenu son apprenti, il s'était exprimé avec tant de conviction que les mots s'étaient gravés dans ma mémoire : « Nous ne croyons pas aux prophéties, car l'avenir n'est pas défini. »

J'avais cruellement besoin de me fier à cette parole de mon maître, car, si c'était maman qui avait raison, l'un de nous – l'Épouvanteur, Alice ou moi – périrait au fond des ténèbres. Pourtant cette lettre m'assurait que les prophéties existaient bel et bien. Sinon, comment maman aurait-elle su qu'à cette heure même l'Épouvanteur et Alice seraient en route pour la chambre funéraire afin d'y affronter le Fléau ? Et pourquoi avais-je lu la lettre juste au bon moment ? Par simple intuition ? Était-ce une explication suffisante ?

Un frisson me parcourut. Depuis que je travaillais avec l'Épouvanteur, je n'avais pas éprouvé un tel effroi. Je m'enfonçais au cœur d'un cauchemar où tout était écrit d'avance. Je n'avais aucune alternative. Quel choix me laissait-on, sachant qu'abandonner Alice et l'Épouvanteur, c'était les condamner à mort ?

Une autre raison m'obligeait à redescendre dans les catacombes : la malédiction. Était-ce à cause de ça que mon maître m'avait giflé ? Peut-être s'était-il mis en colère parce qu'il avait peur ! Maman m'avait dit, avant que je quitte la maison pour la première fois, qu'il deviendrait mon ami. Je n'aurais su dire si c'était le cas, mais j'étais certainement plus un ami pour lui qu'Alice ne l'était, et il avait besoin de moi.

Lorsque je ressortis dans la ruelle, il pleuvait toujours. L'orage s'était éloigné ; je pressentais cependant que l'accalmie ne durerait pas ; nous étions au cœur de ce que mon père appelle « l'œil du cyclone ». Alors, dans ce curieux silence, la cloche de la cathédrale se mit à sonner. Ce n'était pas le glas lugubre que j'avais entendu de la maison d'Andrew, annonçant la mort du prêtre qui s'était jeté du haut d'un toit. Un carillon entraînant appelait la congrégation à l'office du soir.

J'attendis, aplati contre un mur pour me protéger un peu de la pluie. J'ignore pourquoi je me donnai cette peine, vu que j'étais déjà trempé jusqu'aux os.

La cloche se tut enfin, signifiant – du moins je l'espérais – que tous les prêtres étaient à présent à l'intérieur de la cathédrale et que la voie était libre. Je
me dirigeai donc de ce côté.

Le soir tombait, et les nuages s'amoncelaient au-
dessus de ma tête. Comme je passais le coin de la
rue, un éclair illumina brusquement le ciel, et je
constatai que la place devant la cathédrale était
déserte. Je devinais la masse obscure du bâtiment,
avec ses puissants contreforts et ses hautes fenêtres
en ogive. La lueur des cierges dansait derrière les
vitraux. Celui qu'on voyait à gauche du portail représentait saint Georges, vêtu de son armure, tenant
une épée et un étendard orné d'une croix. À droite,
c'était saint Pierre, debout devant sa barque. Au
centre, au-dessus du portail, la gargouille de pierre,
image du Fléau, me fixait de son regard maléfique.

Mon saint patron n'était pas représenté. Thomas,
l'homme qui avait douté ; Thomas, l'homme qui
avait manqué de foi. J'ignorais qui, de mon père ou
de ma mère, avait choisi ce prénom, mais c'était un
bon choix : je n'adhérais pas aux enseignements de
l'Église. Un jour, je serais enterré à l'extérieur d'un
cimetière, non entre ses murs. Lorsque je serais
devenu un épouvanteur, ma dépouille ne pourrait
reposer en terre bénie. Cette perspective ne me
troublait pas le moins du monde. Comme le disait

souvent mon maître, les prêtres ignorent bien des choses.

Des chants s'élevèrent à l'intérieur du bâtiment. Sans doute était-ce le chœur que j'avais entendu répéter en sortant du confessionnal du père Cairns. L'espace d'un instant, j'enviai ces gens. Ils étaient heureux, tous ensemble ; leur foi les unissait. Moi, je devais descendre dans ces souterrains humides et froids, seul dans le noir.

Quittant la place, je m'engageai dans une venelle au sol couvert de graviers, entre la cathédrale et le presbytère. Soudain, mon cœur fit une embardée. Quelqu'un s'abritait de la pluie, assis, dos au mur et face à la trappe, un gros gourdin près de lui. C'était l'un des marguilliers, un laïc chargé de la garde et de l'entretien de l'église.

Je retins un grognement de dépit. J'aurais dû m'y attendre. Depuis l'évasion des prisonniers, la cave était surveillée. Les prêtres craignaient pour leur sécurité – et celle de leurs provisions de bière et de vin !

Le découragement m'envahit, et je faillis renoncer. Puis, alors que je m'apprêtais à m'éloigner sur la pointe de pieds, un bruit m'arrêta. Je tendis l'oreille. Je ne m'étais pas trompé : c'était un ronflement ! Le gardien était assoupi ! Comment diable pouvait-il dormir sous ce déluge ?

Je n'en revenais pas d'avoir une telle chance. Je m'approchai lentement, très lentement, de la trappe, tâchant de ne pas faire crisser les graviers sous mes bottes. Si l'homme se réveillait, je n'aurais plus qu'à prendre mes jambes à mon cou.

Je fus soulagé en atteignant mon but : deux bouteilles de vin, vides, gisaient à terre. L'homme était ivre, et il n'émergerait pas de sitôt. Malgré tout, je ne voulais pas courir de risque. Je m'agenouillai, introduisis avec précaution dans la serrure le passe-partout d'Andrew. Trois secondes plus tard, je me glissais par la trappe, prenais appui sur les tonneaux empilés en dessous et remettais soigneusement en place le panneau de bois.

Battant mon briquet, je rallumai mon bout de chandelle. J'avais un peu de lumière, mais cela ne me disait pas comment je trouverais la chambre funéraire.

21

Un sacrifice

J e me faufilai entre les barriques et retrouvai la
porte des catacombes. J'estimai que, dehors, il
restait moins de quinze minutes avant que la nuit
soit tout à fait tombée, et que je n'avais guère de
temps. Dès le coucher du soleil, mon maître ordon-
nerait à Alice de convoquer le Fléau pour l'affrontement final.

L'Épouvanteur s'efforcerait de frapper le démon
au cœur avec la lame de son bâton. Or, il n'aurait
droit qu'à une tentative. C'était courageux de sa
part, d'être prêt à se sacrifier ; mais, s'il ratait son
coup, Alice en pâtirait. Comprenant qu'il avait été
joué et qu'il était définitivement enfermé, le Fléau
serait en rage. Alice et mon maître le paieraient de

leur vie – à supposer qu'ils soient encore vivants...
Si la créature n'était pas anéantie, elle les presserait
tous les deux contre les pavés.

En bas des marches, je marquai une pause.
Quelle direction prendre ? Ma question trouva
aussitôt une réponse. Mon père aurait dit : « Pars
du bon pied ! »

Mon bon pied, c'était le gauche. Donc, plutôt
que de continuer tout droit, par la galerie menant à
la rivière souterraine et à la Grille d'Argent, je pris
celle de gauche. Elle était étroite, à peine assez
large pour moi, et elle descendait en pente raide
sans cesser de tourner, si bien que j'eus l'impression
d'être entraîné dans une spirale.

Plus je m'enfonçais, plus il faisait froid : les morts
se rassemblaient ! Du coin de l'œil, je percevais des
lueurs diffuses : les fantômes du Petit Peuple, formes
minuscules qui dansaient çà et là telles des lucioles.
J'avais le sentiment qu'ils étaient plus nombreux
derrière moi que devant, qu'ils me suivaient, que
nous progressions ensemble vers le même lieu.

Enfin, je vis briller la flamme d'une chandelle et
j'entrai dans la chambre funéraire. C'était une salle
circulaire d'environ vingt pas de diamètre, bien plus
petite que je l'avais imaginé.

Une niche, creusée haut dans la roche, abritait
l'urne de pierre contenant les restes des Anciens.
Au centre du plafond s'ouvrait un trou grossièrement

taillé, sorte de conduit de cheminée, où la lumière ne pénétrait pas. De ce trou pendaient deux chaînes.

Des gouttes d'eau tombaient de la voûte, et les parois suintaient d'humidité. Une odeur de pourriture empuantissait les lieux.

Un banc de pierre occupait le pourtour de la pièce. L'Épouvanteur y était assis, les mains serrées sur son bâton. Alice, à sa droite, portait toujours son bandeau et ses bouchons de cire.

Mon maître me regarda approcher sans colère, l'air simplement attristé.

– Tu es encore plus stupide que je le pensais, dit-il d'un ton las lorsque je m'arrêtai devant lui. Fais demi-tour, pendant qu'il en est encore temps !

Je refusai d'un signe de tête :

– S'il vous plaît, permettez-moi de rester. Je veux vous aider.

Il lâcha un long soupir :

– Tu ne rendras les choses que plus difficiles. Si le Fléau se doute de quoi que ce soit, il ne viendra pas. La fille ignore où il se tapit, et je suis capable de fermer mon esprit aux incursions du démon. Mais toi ? Que se passera-t-il s'il lit dans tes pensées ?

– Il a essayé. Il voulait savoir où vous étiez. Et où j'étais, moi aussi. Je lui ai résisté ; il n'a rien tiré de moi.

Mon maître m'interrogea d'une voix sévère :

– Comment t'y es-tu pris ?

– Je lui ai menti. J'ai prétendu que je rentrais chez moi et que vous retourniez à Chipenden.

– Et il t'a cru ?

– Il me semble...

Je n'en étais plus si sûr, tout à coup.

– Eh bien, nous le saurons bien assez vite, quand Alice l'aura sommé de la rejoindre.

D'une voix radoucie, il ajouta :

– Va te placer un peu plus haut, dans le tunnel. Tu pourras tout voir de là. Si l'affrontement tourne mal, tu auras une chance de fuir. Va, petit ! L'heure est venue !

J'obéis, reculant à quelque distance.

Le soleil avait dû disparaître derrière l'horizon, et le crépuscule enveloppait le pays. Le Fléau allait quitter sa cachette souterraine. Sous sa forme désincarnée, il circulait librement à travers les airs et le roc le plus dur. Une fois appelé, il volerait vers Alice, plus rapide qu'un faucon aux ailes repliées fondant sur sa proie comme une pierre. Si le plan de l'Épouvanteur fonctionnait, le démon ne visualiserait pas l'endroit où Alice l'attendait. Une fois piégé dans la chambre funéraire, il n'aurait plus d'échappatoire. Mais nous affronterions sa fureur quand il réaliserait qu'il avait été berné.

L'Épouvanteur se releva et se plaça devant Alice. Il inclina la tête et se tint ainsi un long moment. S'il avait encore été prêtre, j'aurais pensé qu'il priait. Enfin, il avança la main vers elle et ôta la boule de cire de son oreille gauche.

– Convoque le Fléau ! ordonna-t-il d'une voix forte, dont l'écho emplit la salle. Tout de suite !

Alice ne fit pas un geste, ne prononça pas un mot. Ce n'était pas nécessaire. Elle l'appelait en pensée ; il lui suffisait de souhaiter sa présence.

Il n'y eut aucun signe avant-coureur de son arrivée. Un brusque tourbillon glacé, et il fut là. Au-dessus du cou, il était l'exacte réplique de la gargouille de pierre : les crocs acérés, la langue pendante, les cornes et les oreilles d'un chien. Au-dessous, ce n'était qu'une masse noire et informe, une nuée bouillonnante.

Il avait presque récupéré son aspect originel. Sa puissance était énorme ! Quelle chance l'Épouvanteur avait-il de le vaincre ?

Le Fléau se tint d'abord parfaitement immobile, tandis que ses petits yeux furetaient de tous côtés, des yeux d'un vert foncé aux pupilles verticales, semblables à celles d'un bouc.

Puis, comprenant où il se trouvait, il poussa un rugissement de détresse et d'incrédulité, qui se répercuta dans les profondeurs du tunnel.

– Je suis entravé ! Lié de nouveau ! siffla-t-il, et sa voix s'enfonça en moi telle une lame de glace.

– Oui, dit l'Épouvanteur. Tu es ici et tu y resteras, captif à jamais de cet endroit maudit !

– Savoure ta victoire ! Profite de ton dernier souffle, Vieille Carne ! Tu m'as dupé, mais pour quoi ? Que vas-tu y gagner ? Rien ! Les ténèbres de la mort ! Bientôt, tu ne seras plus ; et moi, j'aurais ceux de là-haut. Ils m'obéiront ! Me procureront du sang, du sang frais ! Tu as fait ça pour rien !

La tête du Fléau enfla, la face devint plus hideuse encore, le menton s'allongea, se recourba, comme pour rejoindre le nez crochu. Sous la tête, la masse tourbillonnante prenait chair. La créature avait à présent un cou, des épaules musculeuses, une ébauche de poitrail, recouverts de grossières écailles vertes.

Je savais ce qu'attendait l'Épouvanteur. Dès que la poitrine apparaîtrait, il frapperait au cœur. Le corps se modela jusqu'à la taille.

Or, je m'étais trompé ! L'Épouvanteur n'utilisa pas sa lame. Comme surgie de nulle part, sa chaîne d'argent brilla dans sa main gauche, et il leva le bras.

Je l'avais déjà vu faire ce geste. Je l'avais vu lancer sa chaîne sur Lizzie l'Osseuse, de sorte qu'elle s'était enroulée autour de la sorcière en une spirale parfaite. Lizzie était tombée, le lien d'argent l'emprisonnant des pieds à la tête, si étroitement qu'il lui retroussait les lèvres sur les dents.

La même scène aurait dû se produire ici, le Fléau aurait dû se retrouver à terre, incapable du moindre mouvement. Hélas, à la seconde précise où l'Épouvanteur s'apprêtait à lancer la chaîne, Alice bondit sur ses pieds et arracha son bandeau.

Je suis sûr que ce fut involontaire, mais elle se plaça malencontreusement entre l'Épouvanteur et sa cible, ce qui dévia le jet. La chaîne ne fit qu'effleurer l'épaule du Fléau. À ce contact, la créature poussa un hurlement, et la chaîne glissa sur le sol.

Rien n'était perdu, toutefois. L'Épouvanteur leva son bâton. Il y eut un déclic, et la lame rétractable, faite d'un alliage contenant une importante quantité d'argent, étincela à la lueur de la chandelle. Cette lame qu'il avait aiguisée à Heysham, cette lame qu'il avait utilisée contre Tusk, le fils de la vieille Mère Malkin...

D'un geste vif, l'Épouvanteur visa le cœur du Fléau. La créature tenta une esquive. Trop tard ! La lame lui transperça l'épaule gauche, et elle rugit de douleur. Alice recula, une expression de terreur sur le visage, tandis que mon maître se préparait à un deuxième assaut.

Au même moment, nos deux chandelles furent soufflées, plongeant la salle et le tunnel dans le noir total.

Je battis frénétiquement mon briquet. Une fois la flamme de ma bougie rallumée, je ne vis que l'Épouvanteur, seul dans la chambre funéraire. Le Fléau s'était volatilisé, et il avait emmené Alice !

– Où est-elle ? criai-je en me précipitant vers mon maître, qui secouait la tête d'un air accablé.

– Ne bouge pas ! m'ordonna-t-il. Ce n'est pas fini.

Il regardait le trou noir dans le plafond, d'où pendaient les chaînes. L'une formait une boucle, la seconde, qui touchait presque le sol, était munie d'un crochet à son extrémité. Ce système ressemblait au palan qu'utilisent les maçons pour positionner les pierres fermant les fosses à gobelin.

L'Épouvanteur tendait l'oreille.

– Il est quelque part là-haut, souffla-t-il.

– C'est une cheminée ?

– Oui, petit. Du moins est-ce l'usage qu'on en a fait. Longtemps après l'emprisonnement du Fléau et la mort des derniers représentants du Petit Peuple, des fanatiques venaient offrir des sacrifices à la créature dans cette salle. Le conduit emportait les émanations des holocaustes jusqu'à son repaire, au-dessus, et la chaîne servait à lui monter les victimes. Certains de ces fous ont péri pressés, pour prix de leur intrusion.

Je sentis alors un souffle d'air venant de l'orifice, et l'atmosphère se refroidit. Une brume apparut, envahissant la partie haute de la salle. À croire que les fumées de tous les sacrifices accomplis ici nous étaient renvoyées !

Pourtant, c'était plus dense que de la simple fumée. On aurait dit un tourbillon d'eau noire, suspendu au-dessus de nos têtes. Puis la masse liquide s'immobilisa, formant une surface aussi polie qu'un miroir. J'y distinguai nos reflets : moi, debout près de mon maître, et lui, son bâton à la main, la pointe tournée vers le haut, prêt à frapper.

Je n'eus pas le temps de comprendre ce qui advint ensuite, tant ce fut rapide. Le miroir de fumée se bomba, et quelque chose le traversa avec une telle violence que l'Épouvanteur fut projeté à terre. Il tomba lourdement ; le bâton s'échappa de ses mains et se brisa en deux morceaux inégaux avec un craquement sinistre.

Je restai quelques secondes pétrifié, incapable de bouger, ni même de penser. Puis, tremblant, je m'avançai pour m'assurer de l'état de mon maître.

Il gisait sur le dos, les yeux fermés, un filet de sang coulait de son nez jusque dans sa bouche ouverte. Il respirait !

Je le secouai doucement pour qu'il reprenne conscience. Il ne réagit pas. Je ramassai le plus petit morceau du bâton, celui armé de la lame, long à peu près comme mon avant-bras, et le glissai dans ma ceinture. Je m'approchai des chaînes et levai les yeux.

Quelqu'un devait aider Alice à détruire cette créature une fois pour toutes, et j'étais le seul à pouvoir le faire.

Je m'efforçai d'abord de vider mon esprit, afin que le démon ne puisse lire dans mes pensées.

N'ayant pas l'entraînement de l'Épouvanteur, je m'y appliquai de mon mieux.

Le morceau de chandelle entre mes dents, j'empoignai la chaîne simple à deux mains et, plaçant les pieds sur le crochet, la serrai entre mes genoux. J'étais bon au grimper de corde ; l'exercice n'était pas si différent.

Je montai assez rapidement, malgré le froid du métal qui me mordait les paumes. Arrivé sous la surface de fumée, je pris une grande goulée d'air, bloquai mon souffle et enfonçai la tête dans les ténèbres. J'étais aveuglé, et une vapeur âcre, rappelant l'odeur des saucisses grillées, me brûla la gorge.

Soudain, mon visage émergea hors de la nappe. Je tirai sur mes bras pour dégager mes épaules et ma poitrine, et découvris une salle circulaire, presque identique à celle du bas, à part le conduit : ici, il s'ouvrait dans le sol. En face de moi béait l'entrée d'un tunnel s'enfonçant dans l'obscurité. Alice était assise sur un banc de pierre ; la nappe de fumée lui arrivait aux genoux. Elle tendait sa main gauche vers le Fléau, courbé sur elle tel un énorme et hideux crapaud. Il prit ses doigts dans sa gueule et commença à aspirer le sang sous ses ongles. Alice cria de douleur. C'était la troisième fois depuis qu'elle l'avait délivré. Quand il se serait abreuvé, elle lui appartiendrait !

J'avais froid ; j'étais même glacé. L'esprit vide, je me hissai plus haut dans un dernier effort et posai le pied sur le sol de pierre. Le Fléau était trop occupé pour remarquer ma présence. Il se comportait comme l'éventreur de Horshaw : lorsqu'il se nourrissait, rien d'autre ne l'intéressait.

Je marchai vers lui, sortis de ma ceinture le bout de bâton et le levai au-dessus de ma tête, sa lame acérée pointée sur le dos écailleux du démon. Tout ce que j'avais à faire, c'était abattre mon arme pour lui transpercer le cœur. Et ce serait sa fin.

Tandis que je rassemblais mes forces, la peur m'envahit : en mourant, la créature dégagerait une telle énergie que je risquais de mourir aussi. Je deviendrais un fantôme, pareil au pauvre Billy Bradley, qu'un gobelin avait vidé de son sang. Il avait été heureux, au temps où il était l'apprenti de l'Épouvanteur ; il était désormais enterré à l'extérieur du cimetière de Layton. C'était plus que je n'en pouvais supporter.

J'étais terrifié – l'idée de la mort me terrifiait – et je fus parcouru de frissons, au point que le bâton dans ma main se mit à trembler.

Le Fléau dut sentir mon effroi, car il tourna la tête, les doigts d'Alice toujours dans sa gueule, un filet de sang dégoulinant le long de son menton recourbé. À cet instant, alors qu'il était presque trop tard, ma peur s'évanouit. Je sus pourquoi j'étais là, face au Fléau. Maman avait écrit dans sa lettre : *En cette vie, il est parfois nécessaire de se sacrifier pour que d'autres soient sauvés*. Elle m'avait annoncé que, des trois qui affronteraient le Fléau, deux seulement sortiraient vivants des catacombes. J'avais plus ou moins songé que ce serait Alice ou l'Épouvanteur qui mourrait, et je réalisais que c'était moi.

Jamais je n'achèverais mon apprentissage, jamais je ne deviendrais le nouvel Épouvanteur. Cependant, en offrant ma vie, je pouvais les sauver tous les deux. J'étais serein. J'acceptais, simplement.

Je suis certain que le Fléau comprit mon intention. Pourtant, au lieu de se jeter sur moi pour me presser à mort, il tourna de nouveau la tête vers Alice, qui lui adressa un mystérieux sourire.

Je frappai vite, de toutes mes forces, visant le cœur à travers son dos. Je ne sentis pas la lame s'enfoncer ; soudain, un voile noir passa devant mes yeux ; je me mis à grelotter de la tête aux pieds, perdant le contrôle de mes muscles. La chandelle tomba de ma bouche, et je m'effondrai. J'avais manqué le cœur !

L'espace d'une seconde, je me crus mort. J'étais dans les ténèbres, et le Fléau avait disparu.

Je tâtonnai par terre à la recherche de ma chandelle et la rallumai. D'un signe, j'ordonnai à Alice de ne faire aucun bruit. Dressant l'oreille, j'entendis, dans le tunnel, un martèlement de pattes ; on aurait dit un gros chien.

Je glissai le morceau de bâton dans ma ceinture, sortis de ma poche la chaîne d'argent de maman et l'enroulai autour de mon poignet gauche. De l'autre main, je ramassai la chandelle et, sans plus attendre, je me lançai à la poursuite du Fléau.

– Non, Tom ! Non ! Laisse-le ! me cria Alice. C'est fini ! Tu peux retourner à Chipenden !

Elle se jeta sur moi, mais je la repoussai avec violence. Elle tituba et faillit tomber. Quand elle me rattrapa, je levai ma main gauche pour qu'elle voie la chaîne :

– Ne bouge pas ! Tu appartiens au Fléau désormais. Reste à distance, ou je t'entrave toi aussi !

Le Fléau s'étant abreuvé de son sang une ultime fois, aucune des paroles de cette fille n'était fiable. Elle ne serait libérée que par la mort de la créature.

Je lui tournai le dos et repris ma course. Devant moi, j'entendais le Fléau ; derrière, le claquement des souliers d'Alice, ses souliers pointus...

Soudain, le bruit de pattes cessa.

Le Fléau s'était-il réfugié dans une autre partie des catacombes ? Je fis halte pour écouter, puis continuai prudemment. C'est alors que j'aperçus quelque chose sur le sol. Je m'approchai. J'eus un haut-le-cœur et manquai de vomir.

À terre gisait Frère Peter. Il avait été pressé. Son corps était écrasé sur les pavés ; seule sa tête était intacte, et, dans ses yeux écarquillés, on lisait l'épouvante qui l'avait saisi au moment de la mort.

Cette vision m'horrifia. Pendant mes premiers mois d'apprentissage, j'avais été affronté à bien des scènes affreuses ; j'avais côtoyé des morts et manqué moi-même de périr à plus d'une occasion. Mais c'était la première fois que je voyais le cadavre de quelqu'un qui m'était proche et qui avait connu le plus cruel des trépas.

J'étais là, à contempler le pauvre frère Peter. Ce fut l'instant que choisit le Fléau pour surgir de l'obscurité. Il me fixa, ses yeux verts luisant dans le noir. Son poitrail énorme, musculeux, était recouvert d'une fourrure grossière ; ses mâchoires ouvertes révélaient deux rangées de crocs jaunes et acérés. Une substance épaisse dégouttait de sa langue pendante ; ce n'était pas de la salive, c'était du sang.

Soudain, il se rua vers moi.

Je préparai ma chaîne. Alice cria.

À la dernière seconde, je réalisai que le Fléau avait changé d'angle d'attaque. Sa proie était... Alice !

J'étais stupéfié. C'était moi qu'il devait craindre, pas Alice ! Alors, pourquoi se jetait-il sur elle ?

Instinctivement, je visai ma cible. Dans le jardin de l'Épouvanteur, j'atteignais le poteau neuf fois sur dix. Ici, ce serait différent.

Le Fléau progressait par bonds. Je lançai la chaîne, qui se déploya comme un filet et retomba en spirale...

Toutes ces heures d'entraînement avaient payé : la chaîne s'enroula étroitement autour du démon. Il se débattit en hurlant, cherchant frénétiquement à se libérer, à disparaître ou à changer de forme. Vite, lui transpercer le cœur ! Je courus à lui et tirai la lame de ma ceinture. Ses yeux plongèrent dans les miens. Ils brûlaient de haine, et j'y lus de la peur, l'absolue terreur de la mort, l'épouvante du néant. Une voix aux accents désespérés retentit dans ma tête :

Pitié ! Pitié ! Rien pour nous, après la mort ! La nuit ! Le néant ! C'est ce que tu veux, garçon ? Tu vas mourir, toi aussi !

— Non, Tom ! Ne fais pas ça ! hurlait Alice derrière moi, sa voix se mêlant à celle du Fléau.

Je ne les écoutai pas. Quoi qu'il puisse m'advenir, le Fléau devait être détruit. Alors qu'il se tortillait entre les maillons de la chaîne, je frappai à deux reprises. Lorsque je voulus porter un troisième coup, le Fléau avait disparu. Un grand cri retentit. Était-ce la créature, Alice ou moi qui l'avait poussé ? Peut-être chacun de nous ?

Je ne le sus pas ; je reçus un coup violent en pleine poitrine. J'eus l'étrange impression de sombrer. Le silence se fit autour de moi, et je tombai sans fin dans les ténèbres.

Quand je repris conscience, j'étais debout devant une vaste étendue d'eau.

Elle évoquait plutôt un lac qu'un océan, car, malgré la brise agréable qui soufflait du large, sa surface lisse reflétait tel un miroir le bleu parfait du ciel.

Sur une plage de sable doré, des gens s'apprêtaient à mettre des barques à l'eau. Pas très loin du rivage, on apercevait une île. J'y voyais de hautes futaies et des prairies mouvantes, qui formaient à mes yeux le plus merveilleux des paysages. Au sommet d'une colline, entre les arbres, se dressait un bâtiment comparable au château que nous avions remarqué en contournant Caster. Mais, au lieu de froides pierres grises, il semblait bâti avec le prisme de l'arc-en-ciel, tant il scintillait, et ses rayons éclatants réchauffaient mon front comme un soleil.

J'étais calme, heureux, et je me souviens d'avoir pensé que, si c'était cela, la mort, mourir était une douce chose. Il me suffisait d'aller jusqu'à ce château. Je courus donc vers le bateau le plus proche, pris d'un grand désir d'y embarquer. Les gens tournèrent leur visage vers moi, et je les reconnus. Ils étaient petits, très petits ; ils avaient des cheveux noirs et des yeux bruns. Le Petit Peuple ! Les Segantii !

M'adressant des sourires de bienvenue, ils m'entraînèrent vers l'embarcation. Je ne m'étais jamais senti aussi heureux, aussi accueilli, attendu, accepté. Ma solitude s'était évanouie.

Or, à l'instant de monter à bord, une main glacée se referma sur mon bras gauche. Je me retournai. Personne !

La pression sur mon bras augmentait à me faire mal. Des ongles m'entraient dans la chair. Je tentai de me dégager et de grimper dans la barque ; le Petit Peuple voulut m'aider. Le bras me brûlait à présent. Je criai, aspirai une douloureuse bouffée d'air, qui se bloqua dans ma gorge ; le corps me picota, puis j'eus chaud, de plus en plus chaud, comme si un feu flambait dans mes entrailles.

J'étais couché par terre, dans le noir. Il pleuvait fort, les gouttes de pluie coulaient sur mon front, dans mes sourcils, et tombaient dans ma bouche grande ouverte. J'étais trop faible pour soulever les paupières, mais j'entendais au loin la voix de l'Épouvanteur :

– Laisse-le, jeune fille ! Laisse-le en paix ! On ne peut plus rien pour lui.

J'ouvris les yeux et découvris, penché sur moi, le visage d'Alice. En arrière-fond se dressait le mur noir de la cathédrale. Alice me serrait le bras ; ses ongles s'enfonçaient dans ma peau. Elle se courba plus encore pour me chuchoter à l'oreille :

— Ne compte pas t'en aller comme ça, Tom ! Tu es de retour, maintenant. De retour dans le monde auquel tu appartiens !

J'inspirai profondément. L'Épouvanteur s'approcha, le regard empli d'étonnement. Il s'agenouilla près de moi ; Alice se leva pour lui laisser la place. Il m'aida à m'asseoir et me demanda avec douceur :

— Comment te sens-tu, petit ? Je t'ai cru mort ! Quand je t'ai transporté hors des catacombes, j'aurais juré qu'il n'y avait plus un souffle de vie dans ton corps.

— Et le Fléau ? m'inquiétai-je. Est-ce qu'il est détruit ?

— Pour ça, oui ! Tu l'as achevé, et tu as bien failli périr toi aussi. Peux-tu marcher ? Il vaudrait mieux ne pas traîner par ici.

Par-dessus l'épaule de mon maître, je vis le garde avec ses bouteilles vides à ses côtés. Il était toujours plongé dans son sommeil d'ivrogne ; mais il pouvait se réveiller à tout instant.

Je me mis debout en m'appuyant sur l'Épouvanteur. Tous les trois, nous quittâmes les abords de la cathédrale et empruntâmes les rues désertes.

Au début, j'étais faible et chancelant. Quand nous laissâmes derrière nous les derniers quartiers habités pour retrouver la campagne, j'avais déjà recouvré un peu d'énergie. Au bout d'un moment, alors que nous grimpions la colline, je me retournai et jetai un coup d'œil vers Priestown, qui s'étendait à nos pieds. Les nuages s'étaient écartés, et la flèche de la cathédrale étincelait dans le clair de lune.

– On dirait que tout va déjà mieux, dis-je en contemplant le paysage.

L'Épouvanteur suivit mon regard :

– Beaucoup de choses semblent plus belles, vues de loin. Bien souvent, c'est aussi le cas des gens.

La plaisanterie me fit sourire.

– Enfin ! soupira-t-il. Dorénavant, l'endroit sera plus agréable à vivre. Nous n'aurons pas à y revenir de sitôt.

Après une bonne heure de marche, nous trouvâmes une grange abandonnée qui nous servit d'abri. Elle était ouverte à tous les vents, mais nous y étions au sec, et nous eûmes le droit de grignoter un morceau de fromage jaune. Alice s'endormit comme une masse. Moi, je restai assis longtemps, réfléchissant à ce qui était arrivé. L'Épouvanteur ne paraissait pas fatigué. Il demeurait silencieux, les bras serrés autour des genoux. Soudain, il me demanda :

– Comment connaissais-tu le moyen de tuer le Fléau ?

– Je vous ai observé, je vous ai vu viser le cœur...

En proférant ce mensonge, je baissai la tête, envahi de confusion.

— Ce n'est pas vrai, rectifiai-je. Je vous ai espionné pendant que vous parliez avec le fantôme de Maze. J'ai entendu ce que vous disiez.

— Et tu peux avoir honte, petit. Sans compter que tu as pris un risque insensé. Si le Fléau avait lu dans ton esprit...

— Je suis désolé.

— Tu ne m'avais pas dit que tu possédais une chaîne d'argent.

— C'est maman qui me l'a donnée.

— Elle a eu une riche idée ! La chaîne est en sécurité dans mon sac. Jusqu'à ce que tu en aies de nouveau besoin..., ajouta-t-il, lugubre.

Le silence retomba, et l'Épouvanteur se plongea dans ses réflexions.

— Lorsque je t'ai transporté hors des catacombes, poursuivit-il enfin, ton corps avait la froideur d'un cadavre. J'ai vu tant de morts dans mon existence que je suis sûr de ne pas m'être trompé. Puis la fille t'a saisi par le bras, et tu es... revenu. Je ne sais pas quoi en penser.

— J'étais avec les gens du Petit Peuple.

Il hocha la tête :

— Oui, ils doivent être en paix, à présent que le Fléau est détruit, Maze également. Mais toi, mon garçon ? Que ressentais-tu ? Avais-tu peur ?

Je fis signe que non :

— Là où j'ai eu peur, c'est quand j'ai lu la lettre de

maman. Elle avait prévu ce qui allait arriver. J'ai senti que je n'avais pas d'alternative, que tout était déjà décidé. Mais, si les événements sont déterminés à l'avance, à quoi cela sert-il de vivre ?

L'Épouvanteur fronça les sourcils et tendit la main :

– Montre-moi cette lettre !

Je la tirai de ma poche et la lui remis. Il la lut attentivement. Ensuite, il me la rendit et ne prononça plus un mot pendant un bon moment. Enfin, il déclara :

– Ta mère est une femme intelligente et perspicace. Ce qu'elle a écrit en témoigne. Elle en savait suffisamment pour deviner mes intentions. Cela n'a rien à voir avec une prophétie. La vie est assez difficile comme ça ; à quoi bon croire à ce genre de chose ? Tu as décidé de descendre l'escalier, alors que tu avais une autre possibilité. Tu aurais pu t'en aller, et rien n'aurait été pareil.

– Mais, une fois que j'ai eu choisi, tout s'est déroulé comme elle l'avait prédit. Trois d'entre nous ont affronté le Fléau, et deux seulement ont survécu, puisque j'étais mort. C'est bien un corps sans vie que vous avez remonté à la surface ! Comment expliquez-vous cela ?

L'Épouvanteur ne répondit pas. Le silence s'éternisant, je m'allongeai et sombrai dans un sommeil sans rêves. Je n'avais pas fait allusion à la malédiction. Je devinais qu'il ne voulait pas.

22

Un pacte est un pacte

Il était presque minuit, et un croissant de lune se levait au-dessus des arbres. Plutôt que de rejoindre sa maison par la route la plus directe, l'Épouvanteur prit un chemin détourné, à l'est. Je songeai au jardin et à la fosse qui attendait Alice. La fosse que j'avais creusée.

Il ne comptait tout de même plus l'y enfermer ? Pas après ce qu'elle avait fait pour nous ! Elle avait accepté qu'il lui bande les yeux et lui bouche les oreilles, restant des heures dans le silence et dans le noir, sans protester une seule fois.

En apercevant le ruisseau, je retrouvai quelque espoir. Il était étroit, mais rapide. L'eau lançait des éclats d'argent dans le clair de lune ; une unique pierre, au centre, permettait de le franchir.

Ce serait un moyen de vérifier...

– Eh bien, jeune fille, tu passes la première, déclara mon maître avec sévérité. Allez, traverse !

Je jetai un coup d'œil à Alice, et mon cœur flancha. Elle était terrifiée. Je me rappelai comment j'avais dû la porter pour lui faire passer la rivière souterraine des catacombes. Le Fléau était mort, son pouvoir sur Alice était brisé, mais les dommages qu'il avait causés en elle étaient-ils réparables ? Avait-elle approché l'obscur de trop près ? Serait-elle délivrée un jour ? Ou bien à jamais incapable de traverser une eau courante ? Était-elle définitivement sorcière, de la catégorie des pernicieuses ?

Debout sur la berge, Alice tremblait. À deux reprises, elle leva le pied, hésitante. À deux reprises, elle le reposa. Il n'y avait pourtant que deux pas à faire. La sueur perlait sur son front et coulait en rigole le long de son nez. Je l'encourageai :

– Vas-y, Alice ! Tu peux y arriver !

L'Épouvanteur me foudroya du regard.

Se décidant soudain au prix d'un terrible effort, elle prit appui sur la pierre, lança aussitôt l'autre jambe et sauta sur la rive opposée. Là, elle se laissa tomber sur le sol et enfouit son visage dans ses mains.

L'Épouvanteur émit un petit claquement de langue. À son tour, il traversa et s'engagea sur la pente, en direction de la haie qui bordait le jardin. J'attendis qu'Alice se relève. Ensemble, nous rejoignîmes mon maître, qui nous attendait, les bras croisés.

Il s'avança alors et se saisit d'Alice. L'attrapant par les jambes, il la bascula sur son épaule. Elle se mit à gémir et à se débattre, mais il la maintint plus fermement et, sans un mot, pénétra à grands pas dans le jardin.

Je le suivis, désespéré. Il marchait droit vers les tombes où étaient enfermées les sorcières, droit vers la fosse vide. C'était injuste ! Alice avait réussi l'épreuve, non ?

– Au secours, Tom ! criait-elle. Aide-moi, je t'en supplie !

– Ne pouvez-vous lui accorder encore une chance ? plaidai-je. Rien qu'une ? Elle a traversé ! Elle n'est pas sorcière !

– Elle s'en est sortie cette fois, gronda l'Épouvanteur par-dessus son épaule. Mais le mal est en elle, attendant son heure.

– Comment pouvez-vous l'affirmer ? Sans elle...

– C'est le moyen le plus sûr et la meilleure solution pour tout le monde.

Je compris que le moment était venu de lui assener ce que mon père appelait « quelques bonnes vérités ». J'allais lui dire ce que je savais de Meg, même si ensuite il devait me détester et refuser de me garder comme apprenti. Peut-être ce souvenir du passé lui ferait-il changer d'avis ? Imaginer Alice au fond d'un trou m'était insupportable. Que j'aie dû creuser ce trou de mes propres mains rendait cette idée cent fois pire.

L'Épouvanteur avait atteint la fosse ; il s'arrêta devant. Comme il s'apprêtait à y descendre Alice, je lui lançai :

— Vous n'avez pas infligé cette torture à Meg !

Il tourna vers moi un visage ahuri. Je répétai :

— Vous n'avez pas emprisonné Meg dans une fosse, n'est-ce pas ? Pourtant, c'était une sorcière ! Seulement, elle vous était trop chère. Alors, je vous en prie, n'enfermez pas Alice. Ce serait injuste !

Son expression passa de la stupeur à la fureur. Il restait là, titubant au bord du trou, et je me demandai soudain s'il allait y jeter Alice ou s'y laisser tomber lui-même. Cette minute me parut durer une éternité. Puis, à mon grand soulagement, sa colère sembla se muer en une autre émotion. Il s'éloigna, Alice toujours en travers de son épaule.

Il dépassa la fosse où était enfermée Lizzie l'Osseuse, les deux tombes contenant des sorcières mortes, et remonta le sentier pavé de pierres blanches qui menait à la maison.

En dépit de sa récente maladie, de ce qu'il venait de subir et du poids de son fardeau, l'Épouvanteur marchait si vite que je devais courir pour ne pas être distancé. Il sortit la clé de sa poche et ouvrit la porte de derrière. Je n'avais pas gravi les marches qu'il était déjà entré.

Il se dirigea vers la cuisine et s'arrêta près de l'âtre, où les flammes dansaient, envoyant des étincelles dans le conduit de cheminée. Il faisait bon dans la pièce, les chandelles étaient allumées, et le couvert était mis.

L'Épouvanteur déposa Alice à terre. À peine ses souliers pointus avaient-ils touché le carrelage que le feu mourut, la flamme des chandelles vacilla, menaçant de s'éteindre, et l'air se refroidit.

Un grondement de colère s'éleva, qui fit vibrer la table et tinter la vaisselle. Le gobelin manifestait sa désapprobation. Si Alice avait traversé le jardin sur ses jambes, même avec l'Épouvanteur à ses côtés, elle aurait été réduite en charpie. Notre gardien du foyer n'avait perçu sa présence qu'à l'instant où ses pieds s'étaient posés sur le sol de la cuisine. Et il était fort mécontent.

L'Épouvanteur plaça sa main gauche sur la tête d'Alice. Puis il frappa trois fois du talon et déclara d'une voix tonnante :

– Écoute-moi ! Écoute bien ce que je vais te dire !

Il n'y eut pas de réplique, mais le feu se ranima un peu, et le froid s'atténua.

– Tant que cette enfant sera dans ma maison, tu ne toucheras pas un cheveu de sa tête ! Mais observe ses moindres faits et gestes, et assure-toi qu'elle exécute chacune de mes instructions.

Sur ces mots, mon maître frappa encore trois fois du talon. Comme en réponse, le feu se remit à flamber dans l'âtre ; la cuisine retrouva sa tiédeur et son aspect accueillant.

– Maintenant, prépare-nous un dîner pour trois !

D'un signe, l'Épouvanteur nous ordonna de le suivre. Il nous conduisit à l'étage et s'arrêta devant la porte verrouillée de sa bibliothèque.

– Aussi longtemps que tu habiteras ici, jeune fille, grommela-t-il, tu travailleras pour mériter ton pain. Il y a dans cette pièce des livres à ranger. Tu n'auras pas le droit de les ouvrir, sauf ceux que je te donnerai à recopier. C'est compris ?

Alice hocha la tête.

– Ta seconde tâche consistera à transmettre à mon apprenti tout ce que Lizzie l'Osseuse t'a appris. Je dis bien tout ! Il le prendra en note. La plupart de ces enseignements seront des absurdités ; peu importe ! Ils s'ajouteront à notre somme de connaissances. Es-tu disposée à obéir ?

Alice opina de nouveau d'un air grave.

– Parfait ! Nous sommes donc d'accord. Tu dormiras dans la pièce du dernier étage, au-dessus de la chambre de Tom. Maintenant, réfléchis bien à ce que je vais te dire. Ce gobelin, en bas, sait qui tu es et ce que tu as failli devenir. Aussi ne t'écarte pas d'un pouce du bon chemin, parce qu'il surveillera chacun de tes mouvements. Et il n'aimerait rien tant que...

L'Épouvanteur soupira longuement :

— Mieux vaut ne pas y penser. Ne lui offre pas cette opportunité ! Te plieras-tu à ces règles, jeune fille ? Puis-je te faire confiance ?

Alice acquiesça, et sa bouche s'étira en un large sourire.

Au souper, l'Épouvanteur se montra étrangement silencieux. Son attitude évoquait le calme avant la tempête. Nous ne parlions pas, mais les yeux d'Alice furetaient partout, revenant sans cesse au feu ronflant dans l'âtre, qui emplissait la cuisine d'une douce chaleur.

À la fin, l'Épouvanteur repoussa son assiette et déclara :

— Jeune fille, tu vas monter te coucher. J'ai quelques mots à dire à ce garçon.

Quand Alice fut partie, il se leva de sa chaise et s'approcha du feu. Il se réchauffa les mains au-dessus des flammes, puis se tourna vers moi :

— Alors, petit, gronda-t-il. Comment as-tu entendu parler de Meg ?

J'avouai piteusement :

— Je l'ai lu dans votre journal.

— C'est bien ce que je pensais. Ne t'avais-je pas interdit certains ouvrages ? Tu m'as encore désobéi !

Il y a dans cette bibliothèque des documents dont tu ne dois pas avoir connaissance, scanda-t-il, sévère. Des secrets auxquels tu n'es pas prêt à accéder. Je suis seul juge de ce qui te convient en matière de lectures. Est-ce compris ?

— Oui, monsieur, dis-je, employant cette formule pour la première fois depuis des mois. Mais, pour Meg, j'aurais su, de toute façon. Le père Cairns m'avait parlé d'elle, et aussi d'Emily Burns. Il m'a raconté votre rivalité entre frères.

— Et j'ai baissé dans ton estime, n'est-ce pas, petit ?

Je haussai les épaules, surtout soulagé d'avoir vidé mon sac.

Revenant vers la table, il déclara :

— J'ai une longue vie derrière moi, et je ne suis pas fier de tout ce que j'ai accompli. Cependant, les choses n'ont pas qu'un seul côté. Aucun de nous n'est parfait, petit. Un jour, tu auras tous les éléments en main ; tu pourras alors te forger une opinion sur moi. Ce n'est pas le moment de régler nos comptes. Quant à Meg, tu la rencontreras lorsque nous nous rendrons à Anglezarke. Cela arrivera plus tôt que tu l'imagines, car, la mauvaise saison arrivant, nous partirons pour ma maison d'hiver dans un mois ou deux. Que t'a encore appris le père Cairns ?

— Que vous aviez vendu votre âme au Diable...

L'Épouvanteur sourit :

– Qu'en savent-ils, les prêtres ? Non, petit, mon âme m'appartient. J'ai combattu pendant de longues années pour conserver son intégrité, et, en dépit des apparences, elle est toujours mienne. Quant au Diable... Je l'ai toujours vu comme une représentation du mal qui habite chacun de nous, telle une mèche d'amadou n'attendant qu'une étincelle pour s'enflammer. Ces derniers temps, toutefois, je me suis demandé s'il n'existait pas quelque chose, tapi dans les ténèbres. Quelque chose qui grandit à mesure que l'obscurité gagne sur nous. Quelque chose qu'un prêtre appellerait le Diable...

L'Épouvanteur me fixa d'un regard intense, ses yeux verts plongeant dans les miens :

– Et si le Diable existait, petit ? Que faudrait-il faire ?

Je réfléchis un peu avant de répondre :

– Il faudrait préparer une fosse gigantesque. La plus gigantesque qu'aucun épouvanteur ait jamais creusée. Il faudrait ensuite des sacs et des sacs de sel et de limaille de fer, et une pierre... gigantesque !

– Et il y aurait du travail pour tous les maçons, terrassiers et aides-terrassiers du Comté ! railla gentiment mon maître. Monte te coucher, petit ! Demain, nous reprendrons les leçons, et tu as grand besoin d'une bonne nuit de sommeil.

À l'instant où j'ouvrais la porte de ma chambre, Alice apparut dans l'ombre de l'escalier. Elle m'adressa un sourire radieux :

— Je suis vraiment contente d'être ici, Tom. Dans une belle et grande maison bien chauffée ! C'est un endroit confortable, surtout à présent que la mauvaise saison approche.

Je lui rendis son sourire. J'aurais pu lui apprendre que nous partirions bientôt pour Anglezarke, dans la maison d'hiver de l'Épouvanteur, mais elle était si heureuse que je n'eus pas le cœur de lui gâcher sa première nuit.

— Un jour, cette maison t'appartiendra, Tom. Tu le sais ?

Je haussai les épaules.

— Personne ne connaît l'avenir, marmonnai-je, enfouissant le souvenir de la lettre de maman au fond de mon esprit.

— Le vieux Gregory te l'a dit, non ? En tout cas, crois-moi, il ignore beaucoup de choses. Tu feras un meilleur épouvanteur que lui. Rien n'est plus certain !

Alice remonta l'escalier en balançant les hanches. Quelques marches plus haut, elle se retourna :

— Le Fléau était si assoiffé de mon sang que j'ai dicté mes conditions avant qu'il commence à boire. J'ai demandé que, toi et le vieux Gregory, vous sortiez libres des catacombes. Le Fléau a accepté. Un pacte est un pacte. Aussi n'avait-il le droit ni de vous tuer, ni de vous faire du mal. Tu as pu détruire le Fléau grâce à moi. Voilà pourquoi il m'a attaquée. Toi, il n'avait pas le droit de te toucher. Mais ne raconte pas ça au vieux Gregory, il ne comprendrait pas.

Elle me planta là, tandis que ses paroles pénétraient lentement en moi. Ainsi, elle avait été prête à se sacrifier ! Si je ne l'avais pas détruit, le Fléau l'aurait tuée, comme il avait tué Maze. Elle nous avait sauvés, moi et mon maître. Elle nous avait sauvé la vie. Jamais je ne l'oublierais.

Abasourdi par cette révélation, j'entrai dans ma chambre et refermai la porte. Je mis longtemps à m'endormir.

Une fois de plus, je relate cette histoire de mémoire, ne me référant à mon cahier de notes que lorsque c'est nécessaire.

Alice se montre docile, et l'Épouvanteur est pleinement satisfait de son travail. Elle manie la plume avec dextérité, sans se tacher les doigts d'encre. Elle me transmet les enseignements de Lizzie l'Osseuse, de sorte que je peux les coucher par écrit.

Évidemment, et bien qu'elle ne le sache pas encore, Alice ne pourra pas rester avec nous très longtemps. L'Épouvanteur m'a fait remarquer que sa présence me perturbait, et que je ne me concentrais plus assez sur mes études. Ça ne lui plaît guère d'héberger une fille qui porte des souliers pointus, une fille qui a côtoyé l'obscur de si près.

Ce sont les derniers jours d'octobre, et nous allons partir sous peu pour la maison d'hiver de l'Épouvanteur, sur la lande d'Anglezarke. Non loin de là, il y a une ferme dont mon maître tient les propriétaires en grande estime. Il pense qu'ils accepteront d'accueillir Alice. Certes, il m'a fait promettre de ne pas lui en parler pour l'instant. Quoi qu'il en soit, je serai triste quand elle nous quittera.

Je vais rencontrer Meg, la sorcière lamia. Peut-être ferai-je également la connaissance de l'autre femme de l'Épouvanteur. Blackrod n'est pas très éloigné de la lande, et c'est dans ce village qu'Emily Burns est censée vivre. J'ai l'impression d'ignorer encore beaucoup d'autres pans du passé de John Gregory.

J'aurais préféré rester ici, à Chipenden. Mais c'est lui le maître ; je ne suis que son apprenti. Et j'ai fini par comprendre qu'il ne prend jamais aucune décision qui ne soit mûrement réfléchie.

Thomas J. Ward

Note de l'auteur

La malédiction de l'Épouvanteur a de nouveau pour cadre le Comté, et surtout sa plus grande cité, Priestown. Le Comté, bien sûr, représente le Lancashire, la région d'Angleterre, où vit Joseph Delanay ; quant à la ville, c'est celle de Preston. Il n'y a pas de cathédrale à Preston, pas plus que de catacombes, mais l'auteur s'est inspiré, pour les décrire, de lieux bien réels qui marquèrent son enfance, proches de la maison hantée qu'il habitait autrefois.

Pour créer le personnage du Fléau, Joseph Delanay eut quelques difficultés, jusqu'à ce que la solution lui apparaisse d'étrange façon. Une nuit, tandis qu'il dormait, il dit soudain à voix haute : « On m'a entravé. Je suis captif. Tel est mon sort ! » Était-il possédé par le Fléau ? Sa femme, Marie, nota ces mots et les lui montra le lendemain matin. Dès lors, le problème était résolu. Cette phrase devint celle que la créature murmure à Tom quand il rêve de la crypte.

*Cet ouvrage a été mis en pages
par DV Arts Graphiques à La Rochelle*

Impression réalisée par

La Flèche

pour le compte des Éditions Bayard
en novembre 2013

Dépôt légal : août 2007
N° d'impression : 3002873
Imprimé en France